Unkorrigiertes Lese- und Arbeitsexemplar

Liebe Buchhändlerinnen und Buchhändler,
wir hoffen, daß Ihnen dieses Buch Spaß bereitet und daß es für
Ihre Arbeit hilfreich ist.
Geben Sie es bitte nach Lektüre an Ihre KollegInnen und
Kollegen weiter, da beim Vertreterbesuch ein Arbeitsexemplar
mit vielen Beurteilungen sicher nützlich ist.

Gelesen von:	Kurzurteil:	Vorschlag für Einkauf:

D0755675

Auch wir sind an Ihrer Meinung interessiert. Schreiben Sie uns
bitte auf der beiliegenden Antwortkarte.

Ihr
Knaus Verlag

Ralf Thenior

Ja, mach nur einen Plan…

Roman

Albrecht Knaus

Ähnlichkeiten mit lebenden oder toten Personen
sind rein zufällig und unbeabsichtigt.

© Albrecht Knaus Verlag GmbH, München und Hamburg, 1988
Schutzumschlag: Klaus Detjen, Hamburg
Gesetzt aus Bauer Bodoni
Satz: Uhl + Massopust, Aalen
Printed in Germany
ISBN 3-8135-1908-2

Ein Lötkolben wurde in Gang gesetzt. Die Stichflamme
fuhr langsam das Rohr hoch.
– Fackel die Wand nich' ab, Willi!
Willi machte eisern weiter.
Es war hundekalt. Überall froren die Leitungen zu, und sie
kamen gar nicht nach. Es war sogar zu kalt, um Bier zu
trinken. Und während Willi diese betrüblichen Gedanken
noch in seinem Hirn wälzte, wobei seine Hand fachmän-
nisch den Brenner führte, hörte er, wie aus seinem Munde
die Worte kamen:
– Alex soll mal drei Flaschen Bier holen gehen!
– Bei der Kälte? fragte Schierkalla mahnend erstaunt.
Doch der Altgeselle antwortete nicht mehr.
Kalle Schierkalla war Geselle bei der alteingesessenen
Klempnerei Gutbrodt & Söhne. Kalle hatte sich gestern ein
prächtiges Veilchen gefangen. Irgend so'n Idiot kommt im
«Sportlertreff» auf ihn zu und macht ihn an, von wegen
dein Chef stottert ja und so. Er, du Idiot, der stottert nich',
der hat nur'n Sprachfehler, du Ochse! Und knackwumm.
Er hatte ziemlich schlechte Laune heute morgen. Und das
war ihm anzuhören, als er sich über das Treppengeländer
beugte und aus dem dritten Stock nach Alex gröhlte, dem
Lehrjungen, der natürlich wieder auf seinen Ohren saß.
Die nach unten gerichteten Schallwellen schlugen auf dem
gekachelten Treppenhausboden auf wie ein Tennisball
und kamen mit Foffo wieder hoch, flogen an Schierkalla
vorbei, ein halbes Stockwerk höher, um dort durch die

Wohnungstür zu dringen und einen Mann aus dem Schlaf zu reißen, der in traumschwerem Morgenschlummer lag.

– Fackel die Wand nich' ab, Willi!

Es ist unmöglich, zu schildern, wie diese Worte und in welcher Maske sie durch seine Schlafhaut gedrungen waren, als letzte abschließende Rede einer Situation, auf die er zugeträumt hatte.

Und jetzt Alex, der Arsch mit Ohren.

Der Mann versuchte, sich an die Eintragungen in seinem Personalausweis zu erinnern. Dann wußte er wieder, wo er war.

Die Bude war eiskalt. Und die wollten Bier.

Was machten die da überhaupt?

Der Mantel, den er sich gestern noch über die Decken geworfen hatte, war runtergerutscht. Er schwitzte. Aber als er den Arm unter der Decke vorschob, zog er ihn rasch wieder zurück.

Alex sollte das Geld erstmal auslegen.

Aber Alex hatte keine müde Mark mehr.

– Wieder jüchten gewesen, knurrte Willi.

Der Mann, an dessen Tür der Name R. Aschröter stand, sprang aus dem Bett, öffnete die Backklappe des Gasherds, zündete an und sah zu, daß er wieder in die Falle kam.

Eine alte Frau humpelte die Treppe herauf.

– Hatter Wasser? Hatter Wasser, fragte sie aufgeregt.

Alex kam mit den Bierflaschen. Schierkalla gab ihm einen Wink, erstmal unten zu bleiben. Alex verzog sich lechzend.

– Die Leitung ist wieder frei, sagte Willi. Aber wenn es weiter so friert, garantier ich für nichts.

Sie machten ernste Gesichter.

– Dat muß raus, dat muß alle raus, dat Werks, sagte Willi und zeigte fachmännisch auf die Rohre. Wäre es nicht so kalt gewesen, hätte er den eisigen Blick der Hausbesitzerin gespürt.

Inzwischen war die Küche einigermaßen warm. Aschröter zog sich seinen Bademantel an und setzte Teewasser auf. Er schnitt zwei Scheiben Vollkornbrot ab und schälte eine Knoblauchzehe. Dann machte er sich auf, um sein Wasser abzuschlagen. Dazu mußte er die Wohnung verlassen, denn sein Klo lag eine halbe Treppe tiefer.

Vor der Klotür stand eine große Gasflasche, Schläuche führten die Treppe hinunter, und in seinem Klo drängten sich Menschen.

— Was ist denn hier los?

— Es war zugefroren, sagte die Hauswirtin und zeigte auf das Klobecken, im ganzen Haus, aber jetzt geht es wieder.

— Großartig, sagte Aschröter.

Willi konnte den Typen nicht leiden, der am hellen Tag noch im Schlafanzug rumlief. Im Bademantel!

Sie standen in Aschröters Klo und schwiegen.

— Das ist vielleicht eine Kälte, sagte die Hauswirtin.

— Ja, sagte Aschröter. Soll noch gut drei Wochen andauern.

— Da kann man auch nichts drauf geben, sagte Willi.

— Brauchen Sie noch lange? fragte Aschröter.

— Wir sind hier fertig.

— Na, dann will ich sie nicht länger aufhalten.

Aschröter stieg die Treppe rauf und verschwand in seiner Wohnung. Er gab die Brotscheiben in den Toaster und pinkelte ins Waschbecken. Das Teewasser kochte schon. Er warf einen Blick aus dem Fenster. Schneegestöber vor der Trinkhalle.

Nicht mal die Säufer waren draußen.

Aschröter entschied sich für einen Oolong. Er verrieb je eine Knoblauchzehe auf den getoasteten Brotscheiben und

7

bestrich sie mit Butter. Während er frühstückte, horchte er, ob die Klempner die Gasflaschen ein Stockwerk höher trugen. Aber nichts tat sich. Nachdem er gefrühstückt hatte, zog er sich an, packte sein Rasierzeug in eine Tasche und ging los. Die Klempner standen in seinem Klo und tranken Bier. Die Hauswirtin war verschwunden.

Aschröter nickte kurz.

– Die Leitung ist frei, sagte derjenige, der wahrscheinlich der Altgeselle war.

– Na, prima!

Vor dem Haus tobte ein Jahrhundertschneesturm. Ausnahmezustand. Und die Ärsche hatten sein Klo nicht freigemacht, hatten den intimen Vorgang der morgendlichen Entleerung durch ihre Anwesenheit verhindert. Er stürzte sich hinaus in das Gestöber. Flocken flogen um seinen Kopf, klatschten auf seine Augenbrauen und schmolzen auf seinen Lidern. Die Straße war schräg angekippt, die ganze Stadt war schräg angekippt. Kinder rannten lachend zur Schule, weil sie erst um neun da sein mußten. Ein Schneeball zischte an Aschröters Hut vorbei. Aschröter genoß es, hätte es noch intensiver genossen, wenn sich nicht diese Frage nach einem geeigneten Abort aufgedrängt hätte. Die saubersten Toiletten einer Stadt findet man immer in ihren Museen. Aber bis zum Museum am Ostwall würde er nicht mehr durchhalten. Der sogenannte Waschraum am Hauptbahnhof kam erstmal gar nicht in Frage. Massenabfertigung beim Scheißen, und du setzt dich in den Gestank von drei Vormännern rein. Nee, nee. Er würde das Museum für Kunst und Kulturgeschichte ansteuern müssen. Er trabte jetzt quer über den großen freien Platz auf der Nordseite des Bahnhofs. Die Flocken hatten das Ocker und Rot seiner Lieblingskirche ausgelöscht, und selbst das riesige U von der Dortmunder Union-Brauerei war in dem Gestöber nicht mehr zu erkennen.

Als er die Straße überquerte, um zum Bahnhof zu gelangen, merkte er, daß es noch eine verdammt lange Strecke war, denn er mußte durch den Bahnhof durch, dann kam die lange Fußgängerunterführung. Bei Horten raus und dann war er immer noch nicht da. Sein Blick fiel auf einen gründerzeitlichen Schwung links vor ihm, viel Glas in der Fassade. RWAG stand an der Häuserfront. Im Schneegestöber wehte eine rote Fahne mit einem Ahornblatt. Abweichen und auf die neue Karte setzen oder geradeaus weiter?

Er setzte auf seinen Riecher, ging über die Straße, die Autos krochen nur, und bog nach links ab. Bald konnte er die Schrift an der Hauswand erkennen. Auslandsinstitut. Das müßte gehen, dachte er. Er schleuste sich durch die Drehtür.

Im Foyer waren sie gerade dabei, eine Ausstellung aufzubauen: Kanada im Winter. Schneestürme heulten über die Tundra, und Wölfe starrten mit roten hungrigen Augen von den Plakaten. Aber die Dinger hingen noch nicht alle. Und John Steed von der Universität Halifax hatte alle Mühe mit diesen *damned german* Stellwänden. Er sah, wie ein Mann sich durch die Drehtür schob. Er sah aus, als hätte er drei Mäntel übereinander an. Der Schnee auf seinem speckigen Hut fing sofort an zu schmelzen, als er das Gebäude betrat. Der Kerl war unrasiert und trug seine Habseligkeiten in einer Tasche mit sich rum.

Aschröter fand instinktiv den richtigen Weg.

– Did you see that guy?!

Im Klo herrschte subtropisches Klima, und Aschröter

hatte alle Mühe, sich schnell genug seiner überreichlichen Oberbekleidung zu entledigen. Endlich hatte er das rettende Becken erreicht. Danach packte er gemütlich sein Rasierzeug aus und fing an, sich das Kinn einzuseifen. Was mochten sie von ihm gehalten haben? Er machte eigentlich eine ganz gute Figur, distinguiert in seinem Angelo Litrico-Mantel von Charme und Anmut, wie seine Verflossene immer gesagt hatte. Die Lederstiefel mit den flachen Sohlen waren gut gefettet und poliert. Er trug eine anständige Hose. Aber der Hut, das war in ihren Augen wahrscheinlich etwas, das verdächtig wirkte, dieser grüne Schlapphut, der aussah, als hätten schon Generationen von Pennern ihr müdes Haupt auf im gebettet. Aschröter packte gerade sein gesäubertes Rasierzeug in den Kulturbeutel, als der Hausmeister hereinkam, um nach der Export-Bier-Leiche zu fahnden. Er war höchst überrascht, einen frisch rasierten gutgelaunten Herrn vorzufinden, der gerade im Begriff war, die Toilette zu verlassen.

Aschröter verließ die Toilette. Seine Augen verweilten kurz auf den Fotos kanadischer Winterlandschaften. Aber draußen tobte es noch herrlicher.

Er hob den Hut und verließ das Auslandsinstitut.

Eine Wärmflasche mußte er sich unbedingt besorgen.

Allerdings, wenn das Wasser ausfiel ... Vielleicht sollte er sich irgendwo vom Bau einen Ziegelstein klauen. Den könnte er dann in die Röhre schieben und mit Zeitungspapier umwickeln, wenn er heiß war. Und während er heiß wurde, könnte er *Arme Ritter* machen ...

Er stand vor den Wärmflaschen.

— Dieses Modell zu sechsfünfundvierzig ist das günstigste,

was wir haben, sagte die Verkäuferin. Die nächste Kategorie liegt dann bei neunfünfundachtzig.

– Was ist der Unterschied?

– In diese kann man kochendes Wasser einfüllen.

– Und in die andere?

– Heißes.

– Ich nehm die.

Die Verkäuferin steckte die Wärmflasche in eine Plastiktüte und gab ihm das Wechselgeld raus. Sie verabschiedeten sich formvollendet voneinander. Aschröter stieß die Ladentür auf.

Es schneite immer noch. Aber nicht mehr so heftig. Aschröter setzte den Hut wieder auf. Das Wetter machte ihm gute Laune. Die Menschen wirkten lebendiger in solchen Notzeiten. Sie rückten zusammen. Plötzlich gab es etwas, das alle gemeinsam bemeistern mußten. Und außerdem war es natürlich prima, daß der tägliche Trott mal durch Unvorhergesehenes aus dem Tritt kam. Das merkte jeder. Und die Klempner lachten sich ins Fäustchen.

Der schwere Mann, der zitternd auf einem Stuhl saß, war der Kohlenhändler selber. Er stellt sich etwas langsam an beim Aufschreiben des buchstabierten Namens.

– Fettnuß! Da sind sie doch bloß am Stochern. Nee, nee, Fettnußkohle verkaufen wir kaum noch. Eierkohlen. Ja, das läuft. Die brennen runter, und dann brauchen Sie bloß den Rost ein bißchen zu bewegen, und schon fällt die Asche durch, und sie legen einfach nach. Also, was is' nu, nehm' Sie Fettnuß oder Eier?

Seine Hand zitterte beim Schreiben.

– Wann solln wir liefern. Morgen. Morgen geht. Zwischen neun und dreizehn Uhr. Später? Ja, was denken Sie denn,

11

was wir leisten können? Wir liefern nur am Vormittag. Am Nachmittag sind wir fix und fertig. Tausende von Säcken in die Keller schleppen, das haut rein, das nimmt uns mit – er zitterte etwas stärker – da können wir am Nachmittag nichts mehr machen, da sind wir fix und foxi, können nur noch hier sitzen und Bestellungen aufnehmen. Bezahlung bei Lieferung? Sie können auch was anzahlen.

Aschröter schüttelte den Kopf. Die beiden Männer, der eine sitzend, der andere stehend, verharrten einen Augenblick schweigend im Raum. Es war sehr still. Kohlenstaub flog im Lichtkegel der Schreibtischlampe. Wie hieß noch die Krankheit, bei der man unkontrolliert zu zittern anfing? Der Körper des Kohlenhändlers sah aus, als wolle er, geprägt von dem lebenslangen Umgang mit einem Ding, dessen Form imitieren. Nickend kam der Kopf des Kohlenhändlers hoch.

– Das wär's?

– Das wär's.

Aschröter verabschiedete sich und ging.

Der Kohlenhändler hatte noch eine alte Türglocke mit einem schönen Klang.

Nun schneite es wieder heftiger. Sturmböen trieben die Flocken in Schwaden durch die leeren Straßen. Die Leute hatten sich in ihre Höhlen verkrochen, hatten deren Öffnungen, die zugigen Fenster und schlecht schließenden Balkontüren mit Decken und Tüchern verhängt, und überall ertönte Geschrei und Gestöhn aus den Videogeräten. Jemand sagte:

– Wer geht jetzt Zigaretten holen? Und bring mal 'n Schoppen mit!

Aschröter ging im Stadtschritt durch den Schnee. Ein Segen für die Menschheit war jedenfalls die Erfindung der

12

langen Unterhose. Aschröter kam es vor, als bewege er sich in einem warmen Futteral durch die Straßen. Weiter vorne öffnete sich eine Haustür, und ein Mann, der mal eben Zigaretten holen wollte und sich nicht die Mühe gemacht hatte, sich kleidungsmäßig entsprechend auszurüsten, trat auf die Straße. Er trug einen schmierigen Trainingsanzug und Schlappen. Die erste Windbö riß ihm die Wärme weg, die er von drinnen mitgebracht hatte. Fluchend rannte er zum Kiosk rüber, auf den auch Aschröter zusteuerte.

– Eine Schachtel Marlboro.

Natürlich, so sah der Kerl auch aus. Wie ein Marlboro-Raucher. Aschröter hatte nie jemanden gekannt, der Marlboro rauchte. Kurze Begegnungen, das war nicht zu vermeiden, aber etwas Festes war nie daraus geworden. Gut, es konnten nicht alle Dimitrino-Raucher sein, aber ein wenig Feingefühl bei der Wahl seiner Zigarettenmarke, nicht zuletzt, was das Design der Packung betraf, sollte man doch von jedem erwarten können.

Der Kerl, der von einem Bein aufs andere trat, verlangte noch einen Schoppen und erhielt einen Flachmann Korn. Mit klammen Fingern zerrte er das Geld aus der Trainingshosentasche, deren Reißverschluß natürlich auch noch zugezogen war.

– Sechs Flaschen Export, sagte Aschröter.

– Tüte?

– Ja.

Die junge Frau ging nach hinten durch.

– Kalt oder nicht so kalt?

– Nicht so kalt.

Sie griff mit jeder Hand drei Flaschen aus einem Kasten und kam damit rüber.

13

– Wo ham Sie denn ihre Tüte?

– Oh, sagte Aschröter. Ich dachte, . . . äh . . können Sie mir wohl . . .

– Ach so, sagte sie und steckte die Bierflaschen in eine Plastiktüte.

– Am besten, Sie fassen drunter.

– Danke.

– Das ist vielleicht ein Wetter, sagte sie, während sie das Wechselgeld aus der Kasse nahm.

– Wahrscheinlich nicht besonders gut fürs Geschäft, sagte Aschröter.

– Haben Sie 'ne Ahnung! Die sitzen doch alle zu Hause und dröhnen sich einen. Da kommt der nächste!

Tatsächlich. Ein Mann, der für die strenge Witterung nicht ausreichend bekleidet war, sprintete auf die Trinkhalle los.

– Wiedersehen, sagte Aschröter.

– Tschüß, sagte die Trinkhallenverkäuferin.

Sie verabschiedete ihn, obwohl er erst zweimal dagewesen war, schon als Stammkunden.

II

Die kleine Frau zitterte wie eine weiße Blume im Wind auf der weiten Prärie. Sie war dabei, Zeitungen vor die Klofenster zu kleben. Aber es nützte sowieso nichts, denn das Klo war schon wieder eingefroren.

– Was machen Sie denn hier? sagte Aschröter, der mit kostbarer Fracht die Treppe hochgestiegen kam und seiner Hauswirtin ansichtig wurde. Er machte eine Handbewegung zum Fenster, bei der die Flaschen leise klimperten.

Frau Elisabeth Kranewasser guckte mißbilligend auf die Tüte.

– Der Klempner, sagte sie. Er kommt nicht.

– Wieso? Er war doch gerade hier.

– Die Leitungen sind schon wieder zu.

Es war ihr sichtlich peinlich. Aschröter erinnerte sich, daß er mehr aus Reflex denn aus Überlegung am Morgen seinen größten Kochtopf mit Wasser gefüllt hatte.

– Warum machen Sie das?

– Ja, es hat wohl keinen Zweck. Aber was ich Ihnen noch sagen wollte, im Vertrauen natürlich, nehmen Sie sich vor Ihrem Nachbarn in acht. Er ist ein Rheinländer! Lassen Sie ihn nicht rein, er ist nur neugierig und will sich Geld leihen. Geben Sie ihm bloß nichts! Das sehen Sie nie wieder! Bei Ihren Vormietern konnte er ja nicht landen, die kannten ihn schon. Ein Frührentner! Sogar bei der Frau Siebengel, die bei Horten in der Porzellanabteilung arbeitet, hat er es schon versucht...

Nach ihrem Tonfall zu urteilen, mußte es fast so gewesen sein, als hätte er Frau Siebengel einen unsittlichen Antrag gemacht.

– Ihre ehemaligen Nachbarinnen, die beiden Studentinnen, habe ich auch gewarnt. Aber die wollten ja nicht hören. Bei der Frau Siebengel hat er jedenfalls auf Granit gebissen. Sie alte Schachtel, hat er noch zu ihr gesagt, als sie ihn von der Tür gewiesen hat. Also wie gesagt, ganz im Vertrauen, das muß natürlich unter uns bleiben. Und lassen Sie ihn bloß nicht in die Wohnung, der geht vor zwei Stunden nicht wieder...

Aschröter nickte und ließ seine Flaschen extra klötern, als er die Treppe hinaufstieg. Was bildete sich die alte Vettel ein? Er war alt genug, um zu wissen, mit wem er sich

15

einlassen konnte und mit wem nicht. Und im Zweifelsfall würde er mit Sicherheit um solche Typen wie die besagte Frau Siebengel oder seine Hauswirtin einen großen Bogen machen. Alte Krähen, die, weil sie selber keine Freude mehr hatten, versuchten, auch anderen das Leben zu vergällen.

F. Kadur stand an der Wohnungstür des Nachbarn, vor dem er gerade gewarnt worden war.

– Na, wenigstens macht er die Treppe regelmäßig. Da werden Sie keinen Ärger mit haben, hatte sie ihm noch hinterhergerufen.

Um die Fußmatte vor seiner Tür war ein ausgewrungener Wischlappen gewickelt. Aschröter kannte den Trick. Man nimmt den Wischlappen, weicht ihn ein, wringt ihn aus und wickelt ihn um die Fußmatte und verschwindet wieder in seiner Bude. Sollte die Hauswirtin jetzt zufällig ihre Runde machen, würde sie den um die Fußmatte gewickelten Lappen sehen und denken, ach, Sowieso hat die Treppe gemacht. Jeder, der den Lappen sah, dachte das. Fast jeder. Der Mann war ihm sympathisch.

Aschröter schloß seine Wohnungstür auf. In den Zimmern und in der Küche herrschte ein dämmriges Licht, weil er vor die Fenster und die Balkontür Decken gehängt hatte. Er öffnete die Backofenklappe des Gasherdes und zündete die Flamme an. Dann machte er Licht, schaltete aber gleich wieder aus, als er das Chaos sah. Zeitungen, leere Farbeimer, der Quast, den er einzuweichen vergessen hatte... Er war zu fertig gewesen, um das gestern noch aufräumen zu können. Ach, ja, und die Nachbarin, das heißt die Ex-Nachbarin war ja auch noch dagewesen, um sich einen Schraubenzieher zu leihen, damit sie ihr Namensschild von der Tür schrauben konnte. Aschröter war

16

völlig benebelt vom Lösungsmittelrausch und nicht in der Lage gewesen, ein galantes Gespräch zu führen. Andererseits kann man nicht lange über Schraubenzieher reden. So war unter den wohlwollenden Augen des Vaters, der dann auch noch reinkam gucken, ein hitziges Gespräch entbrannt, an das Aschröter sich nur noch schattenhaft erinnern konnte. Der Vater hatte die sorgfältige Malerarbeit gelobt und seine Tochter angesehen, als wenn er sagen wollte, das wäre der Richtige, Mädel! Er sollte sie doch mal besuchen kommen. Fräulein Kornrade. Sie blieb in der Feldherrenstraße. Nur ein paar Häuser weiter. Sie hatte die Faxen dicke gehabt, mit dem Klo draußen und dann diese Kälte! Der Elektroradiator fraß ihr das halbe Bafög weg. Die neue Wohnung kostete nur ein paar Mark mehr und war warm. Zentralheizung. Er sollte sie doch mal besuchen kommen.

Sie war eine attraktive Person, alles am rechten Fleck, mit klaren braunen Augen, einer herausfordernden Nase und einem üppigen schwarzen Haarknoten, den sie mit einer Holznadel und einem Lederteil zusammenhielt. Aschröter konnte sich vorstellen, daß es schon etwas Besonderes sein würde, ihr das Haar zu lösen. Aber das sagte er ihr nicht. Und er sagte ihr auch nicht, daß er die Nase von Frauen erstmal voll hatte und Zeit brauchte, um seinen letzten Schiffbruch zu verarbeiten. Er sagte, daß er gerne, wenn er mit allem durch wäre, Handbewegung durch die Küche, daß er dann gern einmal vorbeikommen würde. Ihre Freundin, mit der sie sich die Wohnung teilte, war dann auch noch gekommen – wo bleibt Ihr denn! – und hatte die Einladung noch einmal bekräftigt. Sie war nicht so hübsch.

Da er noch angezogen war, entschloß er sich, die Klamotten eben zur Mülltonne runterzubringen. Aschröter mochte keine Unordnung in seiner Wohnung. Nicht etwa aus einem kleinbürgerlichen Reinlichkeitsdrang heraus. Das widerte ihn an. Nein. Er war der Meinung, sein Leben war schon chaotisch genug, so daß er wenigstens in klaren Verhältnissen hausen wollte.

Er packte die Sachen zusammen und verstaute alles sorgfältig in dem großen Farbeimer. Er hatte alles weiß gestrichen. Das hatte seiner ehemaligen Nachbarin auch gut gefallen.

Nachdem das Zeug unten in der Mülltonne verschwunden war, machte er eine Flasche Bier auf, setzte sich an den Küchentisch und fing an, einen Brief zu schreiben.

Die neue Wohnung ist ganz passabel, und mit dem Renovieren bin ich auch schon aus dem Gröbsten raus. Wo ich hier gelandet bin und wie die Stadt hier ist, kann ich noch nicht sagen. Es ist zur Zeit so kalt hier, daß mir schon zweimal das Klo unterm Hintern eingefroren ist. Die Hauswirtin kämpft mit Zeitungspapier gegen den Frost, statt im Keller ein türkisches Bad einbauen zu lassen und ...

Es klingelte. Aschröter ging aufmachen. Mißfällig streifte sein Blick den Spion, den jeder im Haus in seiner Wohnungstür hatte. Ein älterer Herr mit schütteren grauen Haaren stand vor Aschröter und verzog sein Gesicht zu einem Grinsen.

– Kadur, Fritz Kadur. Ich bin der Nachbar.

Er streckte Aschröter die Hand hin, als wenn er ihn entwaffnen wollte.

– Kann ich einen Moment reinkommen?

– Aber bitte!

– Dieser Winter macht mich fertig, sagte der Nachbar, als

18

er sich gesetzt hatte. Ich bin nämlich wetterfühlig, fügte er hinzu.

– Das hört sich ja nicht gut an. Trinken Sie ein Bier mit?

Der Nachbar blickte an sich herunter.

– Naja, eins kann nicht schaden.

Aschröter machte eine Flasche auf und stellte ein zweites Glas auf den Tisch.

– Zuckerverdacht, wissen Sie, Aber ich geh ja nicht zum Arzt. Ich nicht. Da können die lange warten.

– Prost!

– Zum Wohle!

Sie tranken. Dies war also der Nachbar F. Kadur. Unvorstellbar, welche Bösartigkeit die Weiber dazu gebracht haben mochte, eine solche Kampagne gegen den Mann zu starten. Er trug ein guterhaltenes braungelb kariertes Sakko, einen weinroten Pullover mit V-Ausschnitt, ein gebügeltes blaues Hemd. Kurz vor dem Adamsapfel prangte ein psychedelischer Schlips, aber dezent, mit großem Knoten. Ein messerscharf bügelgefaltetes graues Beinkleid schlotterte um seine Stelzen. Alles in allem noch ziemlich gut erhalten.

Kadurs Augen gingen über den Tisch. Er sah Käse, Butter, Brot, noch vier Bierflaschen und Tabak.

Ich störe doch nicht, sagte er.

– Nein, sagte Aschröter und legte den angefangenen Brief zur Seite, überhaupt nicht. Dies ist sozusagen meine Einweihungsfeier. Deshalb. Aschröter deutete mit der Hand über den Tisch.

– Ein guter Grund zum Feiern. Wie wär's mit einem Gläschen Cognac, also Weinbrand. Ich habe noch eine Flasche Asbach.

– Keine schlechte Idee.

19

Kadur ging rüber in seine Wohnung und kam gleich darauf mit einer Flasche zurück, die er triumphierend vor sich hertrug.

– Hab ich in einem Preisausschreiben gewonnen!

– Wie? Die Flasche?

– Jaja. Ich mache jedes Preisausschreiben mit. Ich hab schon Ferkel geschätzt und alles.

– Nicht möglich, sagte Aschröter und stellte Schnapsgläser hin.

– Na, dann. Auf gute Nachbarschaft!

– Genau.

Nach zwei Stunden duzten sie sich, und Aschröter wußte eine ganze Menge mehr über seinen Nachbarn. Er war Autoverkäufer gewesen, das heißt zum Schluß. Vorher war er Vertreter, mit einem eigenen Gebiet, war nur am Wochenende zu Hause – eine wunderbare Zeit (er hatte allerhand nette Bekanntschaften gemacht) –, und dann kommt er eines Tages nach Hause, die Auftragslage war eh schlecht genug, an einem Donnerstag, also einen Tag früher als gewöhnlich, und findet seine Frau mit einem Kerl im Bett. Sie hat ihn quasi rausgeschmissen. Dann die Scheidung. Natürlich kriegte sie das Sorgerecht für die Kinder. Die Kämpfe um den Hausrat. Sein Anwalt war ein totaler Versager. Das hatte ihn fertig gemacht, und von da an ging es immer weiter bergab. Das letzte war der Autoverkäuferjob. Aber das war schon sechs Jahre her. Sechs Jahre Sozialfürsorge! Stell dir das mal vor! Sag mal, ich hab da so'n Job als Fahrer in Aussicht in Düsseldorf, ich müßte mich vorstellen, morgen früh schon, aber ich kann die Fahrkarte nicht bezahlen, kannst du mir zwanzig Mark leihen?

– ?

– Zwanzig Mark, bis übermorgen?

– Ja, wenn das so ist.

Kadur schnappte sich den Schein, nahm die Flasche, tat Aschröter noch sein Glas voll und empfahl sich.

– Das heißt, da ist noch was. Ich stelle mich im Moment tot. Ich kann dir das jetzt nicht erklären. Aber wenn dich jemand im Haus fragt, ob du mich gesehen hast, sagst du nein. Auch wenn Fremde kommen und nach mir fragen.

– Alles klar, sagte Aschröter.

Kadur verzog sich endgültig. Er drehte seine Filterzigaretten mit der Maschine vor und hatte noch drei auf dem Tisch liegengelassen. Aschröter zündete sich eine an und trank von dem Asbach.

Es war still draußen. Es war so still, daß er meinte, den Frost knacken zu hören. Oder war das ein anderes Geräusch?

Aschröter sah aus dem Fenster. Unten auf der Straße kam ein junger Bursche vorbei. Er schob einen Einkaufswagen vor sich her, auf dem er einen Sessel zu transportieren versuchte. Aber da der Sessel runde Armlehnen hatte, rutschte er immer wieder hinunter und polterte auf die Straße. Endlich stieß er den Drahtwagen von sich, nahm den Sessel auf den Kopf, hielt die Lehnen mit den Armen und ging so weiter. Es war ziemlich glatt.

III

Was hast du denn gemacht?

Der junge Mann, der die Treppe hochkam, hatte beide Hände bandagiert. Er trug eine Cäsarfrisur, und seine

21

Augen bewegten sich aufmerksam hinter den runden Brillengläsern.

– Mir ist 'n Auto ins Fahrrad gedonnert.

– Mist!

Der andere hob die verbundenen Hände und deutete eine Geste des bedauernden Bejahens. Sie gingen aneinander vorbei.

Der junge Mann, der die Treppe hinaufging, blieb auf der dritten Etage vor der Tür ohne Namensschild stehen und versuchte mit der verbundenen Hand, den Schlüssel aus der Hosentasche zu zerren.

Das dürfte der Nachbar gewesen sein. Über vierzig. Aber noch ganz gut dabei. Er würde ihn gleich mal antesten. Auf dem Namensschild auf der linken Tür stand F. Kadur, an der Tür rechts der Name R. Aschröter. Er hielt Namensschilder für unwichtig. Wer ihn besuchen wollte, würde schon wissen, wo er zu finden war. Endlich hatte er die Tür auf. Geruch von frischer Farbe schlug ihm entgegen. Der Fußboden, den er schwarz gestrichen hatte, trocknete nicht gut. Er verschwand in seiner Wohnung.

Aschröter ging die Treppe runter und fragte sich, wann das Treppenhaus den letzten Anstrich gesehen hatte. Pißgrün und Lachsrosa im Wechsel von Etage zu Etage, abgestoßen und abgeschrammt von den Möbeln, die im Laufe der vergangenen achtzig Jahre hier rauf- und runtergeschleppt worden waren. Er belieferte dieses Haus schon seit siebenunddreißig Jahren, hatte der Kohlenhändler gesagt, während er zusammen mit seinem Sohn, der noch doppelt so groß war wie er, die Eierkohlensäcke in den Verschlag schüttete. Seitdem war nichts gemacht worden. Alles verkam. Alles ging den Bach runter. Aschröter hatte im Flur gestanden wie Falschgeld, während sie rein und rausgingen, immer im Weg. Wenn der alte Kohlenhändler an ihm vorbeigekommen war, hatte er in seiner Rede fortgefahren. Der junge hatte nur gegrinst und sich geschont beim Tragen. Die billigste Energie war jedenfalls immer noch Kohle, da konnten die machen, was sie wollten. Das war bekannt in der ganzen Gegend, er lieferte schnell, günstig und nur erste Ware. Die Kellertür hatte von außen einen Knauf und konnte nur mit dem Schlüssel geöffnet werden. Das Schloß klemmte, und Aschröter mußte ziemlich lange fummeln, bis er die Tür aufhatte. Beinahe wäre er hinter dem Eimer die Kellertreppe runtergegangen, weil er vergessen hatte, daß die Hauswirtin ihm gesagt hatte, daß die erste Stufe etwas höher war als eine normale Treppenstufe. Wahrscheinlich hatte der Maurer sich beim Abstand verrechnet. War unten angefangen, und als er oben war – nebbich.

Der Keller stank nach Rattenscheiße und Aas. Wo hatte er gelesen, daß es in der Stadt genauso viele Ratten wie Einwohner gab?

Manchmal waren sie jedenfalls nicht voneinander zu unterscheiden. Aschröter füllte Eierkohlen in die Kohlenschütte und den Eimer und legte ein paar Briketts oben drauf. Schon als der Kohlenhändler dagewesen war, hatte Aschröter gesehen, daß der Keller keinen festen Untergrund hatte, daß die Kohlen auf weichen, mulligen Boden fielen, in dem Steinbrocken und Metallteile lagen. Wenn er den oberen Teil des Kohlenhaufens abgetragen hatte, würde er mit der Schaufel immer durch den Dreck pflügen und einen Haufen Mist in die Eimer laden. Er mußte sich etwas einfallen lassen, vielleicht den Boden mit Holzbrettern auslegen ...

Auf dem Rückweg sah er ein Fahrrad im Kellergang, das

23

aus verschiedenen anderen Fahrrädern zusammengesetzt war. Am Gepäckträger eine gelbe Tasche mit der Aufschrift *WESTFÄLISCHE RUNDSCHAU Zeitung für Dortmund.*

Frau Kranewasser machte zufällig gerade die Tür auf, als Aschröter vorbeikam.

– Haben Sie Herrn Kadur gesehen? Der Briefträger war da. Er hatte ein Einschreiben.

– Nein, sagte Aschröter. Ich glaube, er ist auf Montage.

– Der alte Kerl, sagte sie. Da lachen ja die Hühner. Aber der neue Nachbar direkt neben ihnen ist sehr nett. Ein sehr netter junger Mann. Wirklich. Er studiert Musik. Wenn er zu laut wird, müssen Sie es mir sagen. Dann kriegt er Bescheid.

– Ich habe nichts gesehen, ich habe nichts gehört, sagte Aschröter und stieg die Treppe rauf.

– Ich kümmere mich um meine Angelegenheiten.

– Tss, machte die Hauswirtin und schlug die Tür zu.

Aschröter hatte seine Wohnung jetzt so weit klar. Seit er den Kohleofen in der Küche beheizte, war die Wohnung warm, d. h. die Küche und das angrenzende Lese- und Schlafzimmer. Den dritten Raum hatte er sich als Wohnzimmer hergerichtet, nutzte ihn aber zur Zeit nicht. Zu kalt. In der Küche brannte den ganzen Tag Licht, denn er hatte eine Wolldecke vor die Fenster und die Balkontür gehängt. Nach den Anstrengungen und Aufregungen des Umzugs, der Renovierung und der Einrichtung genoß er die Ruhe. Draußen schneite und fror es immer noch, der Schnee dämpfte die Geräusche und Aschröter kultivierte das Gefühl, von der Welt abgeschnitten zu sein.

Er stocherte den Ofen durch, gab eine Ladung Eierkohlen rein und fing an, ein paar Mohrrüben zu schrappen, unterbrach seine Tätigkeit aber dann noch einmal, um eine Kassette reinzuschieben und sich ein Bier einzuschenken. Als er das Messer wieder in die Hand nahm, klingelte es. Aschröter ging aufmachen.

Der Kerl mit den verbundenen Händen stand vor der Tür und grinste.

– Hallo! Mein Name ist Alfons Detroy. Ich bin Ihr neuer Nachbar. Eine Frage, verstehen Sie was von juristischen Angelegenheiten?

– Wenig, sagte Aschröter. Aber komm doch erstmal rein. Ich heiße Rudolf, Rudolf Aschröter. Warum sollten wir uns siezen?

– O. k., sagte der andere und kam in die Wohnung.

– Ich habe mir gerade eine Flasche Bier aufgemacht. Trinkst du einen Schluck mit?

Der andere nickte.

– Gut warm hier, sagte er. Er hatte ein rundes Gesicht und trug einen Kaiser-Wilhelm-Schnurrbart, den er nun zwirbelte, während seine Augen in der Küche umherhuschten.

Aschröter nahm eine Flasche Bier aus der Plastiktüte und stellte ein Glas auf den Tisch. Dann zog er den Kronenkorken ab.

– Worum geht's denn?

– Zappa? fragte Detroy und nickte zum Kassettenrekorder rüber.

Aschröter bestätigte diese rhetorische Frage durch ein Kopfnicken.

– Der Unfall, sagte Detroy und schlug mit der verbundenen Hand auf den Briefumschlag.

– Also dich hat ein Autofahrer gelegt, und jetzt hast du Schuld?

– So ungefähr. Die Alte hat die Vorfahrt nicht beachtet,

25

und ich hatte einen Wackelkontakt in der Lampe. Sie fährt mir vorne rein, und ich flieg über'n Lenker. Das ist schon das dritte Mal in einem halben Jahr, daß mich ein Autofahrer auf die Hörner genommen hat. Sie war auch sehr besorgt, ob mir etwas passiert wäre, und hat mich gleich ins Krankenhaus gefahren, obwohl ich es gar nicht wollte. Na ja, Abschürfungen und so weiter und keine Rede von Schadenersatz. Wir hatten beide Schuld, meine Lampe war nicht ganz in Ordnung, und sie hatte die Vorfahrt nicht beachtet.

– Das mit der Lampe hättest du nicht sagen dürfen.

– Stimmt. Als sie nach Hause kam, müssen ihre Leute sie dann scharf gemacht haben. Und jetzt krieg ich von ihrem Rechtsanwalt einen Schrieb, daß ich dreihundertsiebenundsechzig Mark für die Kotflügelreparatur bezahlen soll. Sie hätte mich nicht gesehen, weil ich kein Licht hatte.

– Gab's keine Straßenbeleuchtung?

– Massig.

– Bei der Erwiderung kommt es auf die richtige Formulierung an, sagte Aschröter. Ein ekelhaftes Pack, noch aus einem Unfall Geld ziehen zu wollen. Sag mal, ich bin gerade dabei, mir was zu essen zu machen. Hast du Lust einen Teller mitzuessen?

– Gerne. Was gibt's denn?

– Mohrrüben, Kartoffeln und Spiegelei.

– Nicht schlecht. Ich habe nämlich noch nichts gegessen außer eine Tasse Haferflocken mit Wasser.

– Seit heute morgen?

– Und 'ne Kanne Tee.

Aschröter machte sich daran, die Mohrrüben weiterzuschrappen.

– Kann ich mir mal eine drehen?

26

– Klar.

Detroy drehte sich eine und fing an zu rauchen, während Aschröter die Kartoffeln schälte und die beiden Töpfe aufsetzte. Er stellte sich die Pfanne zurecht, legte die Eier hin, setzte sich und drehte sich auch eine.

– Ist das immer noch Zappa?

– Ja.

– Klingt 'n bißchen wie Varèse, nicht?

– Entweder Remiszenzen an sein Musikstudium, oder er will seinen intellektuellen europäischen Hörern Honig ums Maul schmieren. Varèse pur ist mir lieber.

Als Aschröter die Eier am Pfannenrand aufschlug, sagte Detroy:

– Wie wär's mit einer Tischmusik? Ich habe eine fabelhafte Cembalo-Aufnahme von Frescobaldi.

– Nur zu, sagte Aschröter.

Er füllte die Teller mit Kartoffeln und Mohrrüben. Die Spiegeleier waren gut. Aschröter teilte sie mit einem Messer in der Pfanne und gab auf jeden Teller zwei. Detroy kam mit zwei Kassetten zurück. Aschröter stellte die Teller auf den Tisch.

– Du wolltest doch zwei?

– Ja, ja. Gerne.

Detroy spulte den Frescobaldi ein.

Sie aßen, tranken Bier und hörten Musik.

Nachdem sie gegessen hatten, stellte Aschröter noch zwei Flaschen Bier auf den Tisch, drehte sich eine und schob Detroy den Tabak rüber. Detroy schob die andere Kassette ein und ließ gehen.

– Was ist das? fragte Aschröter, nachdem Detroys Zigarette brannte.

– Das erste ist von Lappi, Pietro Lappi, und dann kommt

27

eine herrliche Schlachtenmusik von Fantini, nee, erst kommt noch eins von Monteverdi. Machst du Musik? Vom Mund her wärest du am ehesten ein Posaunist.

— Nee, sagte Aschröter. Ich bin Amateur. Ich höre nur.

Detroy war Musikstudent, aber er ging schon seit einer ganzen Zeit nicht mehr zur Uni hin, weil ihn das Getue der Typen am Institut nervte.

— Alles Bekloppte, sagte er, entweder es sind geigespielende Bonzentöchter oder irgendwelche Verklemmte, die mit der Musik alles kompensieren wollen, was ihnen fehlt.

— Und was ist dein Instrument?

— Cornett. Ich übew mich zwar auch am Cembalo und an der Blockflöte, aber mein eigentliches Instrument ist das Cornett.

— Cornett? Wie ein New Orleans Jazzer siehst du nicht gerade aus.

— Nein! Nein! Ich meine nicht das Ventilcornett aus Blech. Um Himmels Willen! Meins ist das Renaissance-Instrument. Es ist ursprünglich aus Holz, heute wird es aus Plastik gegossen. Kunstharz. Es ist eigentlich nur ein langes Rohr mit sieben Löchern. Die Blütezeit war etwa von 1550 bis cirka 1630. Danach haben sie andere Instrumente entwickelt, und heute kann es kaum noch jemand spielen. Die Cornette waren damals im optimalen Falle aus Walroßzahn, weil die da die Biegung schon drin hatten. Deshalb auch Zink genannt. Was soviel wie Zahn heißt. Sagt man. Es könnte aber auch aus dem mittelhochdeutschen Verb *zinkhein* sein, was fälschen heißt, zinken, weil das Cornett ja die menschliche Stimme imitiert.

— Wie ham die denn die Bohrung in den Walroßzahn gekriegt?

— Der ist innen hohl.

28

– Ach so.

Detroy stand auf Renaissance-Musik, Renaissance-Musik und Punk, und er wollte komponieren. Aber keine Musik, die larmoyant ist wie die Romantik oder auf Effekte aus wie der Wiener Schmalz oder von der Rolle kommt wie die tumbe deutsche Barockmusik. Er sah so aus, als würde er es schaffen.

– Und was ist mit Bach?

– Bach?! Nur mit den größten Vorbehalten. *Herkules am Scheidewege*, ja, das wohl, und ein paar Bläserpassagen, aber sonst, eine unheimlich dröhnende Musikmaschine, das ist, als wenn man dir ständig irgendwelche lauwarmen Tücher um den Schädel wickelt, endlos, bis du gar nichts mehr hörst. Aber ich gebe zu, er ist nicht so schlimm wie Mozart. Mozart ist einfach ätzend.

Er hatte schon ein paar kleinere Stücke komponiert, Symphonien, die er mit befreundeten Musikern an verschiedenen Orten recht erfolgreich zur Aufführung gebracht hatte. Eine größere Arbeit von ihm war gerade von einem bekannten Bläser-Quartett angenommen worden und sollte im nächsten Herbst zur Aufführung gebracht werden. Im Moment hatte er allerdings eine schöpferische Pause. Er machte gerade eine Therapie, weil er im Supermarkt die *shakes* gekriegt hatte.

– Ich stand zwischen den Regalen und hab mich auf einmal unheimlich schlecht gefühlt. Ich dachte, gleich dreh ich durch und hau alles kurz und klein. Hab mir natürlich nichts anmerken lassen. Bin getürmt. Und zu Hause gleich ins Bett. Hab zwei Tage hintereinander geschlafen. Danach hab ich die Therapie angefangen.

Und dabei war alles wieder hoch gekommen. Sein Vater war ein schießwütiger Hund. Feige und immer den Finger am Abzug. Wo er mähen konnte, wurde gemäht. Mit schneidendem Sarkasmus. Gefühlsäußerungen waren nicht gestattet. Männer weinen nicht und dieses Kacke. Als er erfuhr, daß sein Sohn Musiker werden wollte, hatte er ihn halb totgeschlagen. Und seine Mutter kuschte, machte die Augen zu, wenn ihr Sohn verwämst wurde.

– Meinen Alten ham Sie so fertig gemacht, der haßt das Wort *Spinett!*

Wenn nicht dieser Organist gewesen wäre, der sich beim Pastor für ihn eingesetzt hatte, daß er in das Kirchenwohnheim einziehen konnte, dann hätte er das Abitur nicht gepackt, das war klar. Und diese ganze Scheiße, die er erlebt hatte, saß immer noch in ihm drin und das machte ihn fertig und deshalb war er in der Therapie.

– Sag mal, was machst du eigentlich?

– Zur Zeit nichts. Sagen wir mal, ich versuche mich zu erinnern, wie ich eigentlich leben wollte.

– Und wovon lebst du?

– Ich habe eine kleine Erbschaft gemacht.

– Du lebst von den Zinsen?

– Schön wär's.

– Also, es schrumpft.

– Es schrumpft.

– Wann ist es aufgebraucht?

– Bald.

– Und dann?

Aschröter zuckte mit den Schultern.

– Wer ist denn das?

– Das ist Montserrat Figueras.

– Fabelhaft! Eine tolle Sängerin.

– Ja, selbst die Verzierungen kommen mit Würde.

Es war Abend geworden. Detroy fragte nach der Uhrzeit.

– Hast du noch was vor?
– Ich habe einen Job als Zeitungsverkäufer. Gehe abends durch die Kneipen. Sag mal, hast du Lust, nachher, wenn ich wiederkomme, noch ein Bier mitzutrinken?
– Klar.

IV

Es hatte getaut und wieder geschneit und wieder gefroren und wieder getaut und so weiter.
– Das ist doch kein Winter mehr, das is' doch 'ne Krankheit, sagte Kadur, der mit einer vollen Einkaufstasche die Treppe heraufkam. Aschröter war gerade dabei, seine Tür von außen abzuschließen.
– Früher haben wir Winter gehabt, ja, die waren hart und reell, und irgendwann waren sie mal vorbei, aber heute, sieh dir das doch an, das ist schon der dritte Scheißwinter, der sich endlos hinzieht. Ich hab Eisbeine und das mit doppelten langen Unterhosen.
Er stand jetzt vor Aschröter und stellte seine Tasche ab.
– Kein Wunder, sagte Aschröter, bei den Schuhen, die du anhast.
– Was ist mit meinen Schuhen?! Das war ein Sonderangebot aus einer Konkursmasse. Am Bahnhof, unten in der U-Bahnpassage, da steht er immer. Wenn du handelst, macht er dir einen Sonderpreis.
Aschröter warf noch einen verständnislosen Blick auf die Eierschalen, die Kadur an den Füßen trug.
– Aber das sind doch bestenfalls Sommerschuhe.
– Na und!

31

Kadur wollte das Thema nicht weiter vertiefen. Er kam nochmal auf das Wetter zurück.

– Aber das mußt du zugeben, diese Wetterveränderungen, das hat was mit den Raketen zu tun. Seit die da oben rumschießen, ist alles durcheinander. Ich sage dir, wir steuern auf eine neue Eiszeit zu.

– Eiszeit ist gut, sagte Aschröter. Durch die schon entstandenen Ozonlöcher wird die gesamte Erdtemperatur um viereinhalb Grad steigen. Das heißt, die Polarkappen schmelzen ab. In siebzig Jahren ist Irland von der Karte verschwunden, und Hamburg liegt acht Meter unter Wasser.

– Da merk ich nichts von, sagte Kadur. Aber es ist sowieso alles Beschiß. Heute wollte ich Kleidergeld holen. Ach, das ging schon vor Weihnachten los. Bei der Butterausgabe, ich krieg ein halbes Pfund, und die eine Frau schleppt da schwere Taschen raus, zwanzig Kilo, sagt sie zu mir, und ich weiß, ihr Mann hat Arbeit, und sie geht putzen. Aber heute, das war die Krönung, wahrhaftig die Krönung, das hältst du im Kopf nicht aus. Weißt du, was er zu mir gesagt hat? Als Bedürftiger wäre ich noch zu gut gekleidet. Stell dir das mal vor, da wird man noch dafür bestraft, daß man ein bißchen auf sich hält! Und vor mir ging einer rein, der kam mit Plastiktüten, und oben guckte eine Flasche Asbach raus. Bevor er reinging, hat er erstmal einen Daumen abgetrunken und kommt raus mit einer Anweisung über neunhundertachtzig Mark! Komm mit, sagt er zu mir, zum Reinoldi-Platz, wir machen ein Faß auf. Mich kleidet sowieso das Rote Kreuz ein, von Kopf bis Fuß. Daß der in seiner dreckigen Hose überhaupt noch laufen konnte . . .

Er schwieg, schien ihn noch einmal an seinem geistigen Auge vorbeilaufen zu lassen.

– Aber das schlimmste ist die Schlaflosigkeit.

– Kannst du nachts nicht schlafen?

– Nee. Manchmal nächtelang. Dann kann ich nicht mal liegen. Da sitze ich stundenlang im Sessel und grübele. Da kann ich nur noch Rätsel lösen, Kreuzworträtsel, Preisrätsel, alles...

– Und? Hast du was laufen im Moment?

– Mehreres. Mehreres. Aber da sprechen wir jetzt nicht drüber.

– Da war gestern einer für dich da, der hat geklingelt und geklopft. Dann hat er bei mir geklingelt und gefragt, ob ich wüßte, wann du wiederkommst.

– Und was hast du ihm gesagt? Wie sah er aus?

– So ein Großer mit einem Ledermantel, brauner Hut, graues Gesicht, große Nase. Na ja, so genau hab ich ihn mir nun auch wieder nicht angesehen. Ich hab gesagt, daß ich nicht wüßte, wo du bist und wann du wiederkommst.

– Gut.

Kadur stand einen Augenblick und dachte nach, wer das gewesen sein könnte. Kein Aufleuchten des Erkennens huschte über sein Gesicht.

– Wenn wieder sowas ist, ich bin verreist. Du weißt nicht, wann ich wiederkomme. Zur Kur. Ich bin zur Kur.

– Alles klar, sagte Aschröter. Bis dann.

– Ja, sagte Kadur und schloß seine Tür auf.

Aschröter ging die Treppe runter.

Draußen fegte ein nadelfeiner Schneeregen zwischen den Häuserfronten durch. Er stach mit Miriaden von winzigen Pfeilen ins Gesicht. Aschröter schlug den Kragen hoch, zog den Hut in die Stirn und machte sich auf seinen Gang durch das Revier. Ein Madrigal von Oratio Vecchi ging ihm nicht aus dem Kopf. Die Stimmen bildeten die Toncharakteristik einzelner Instrumente nach. Die Feldherrenstraße war wie leergefegt. Aschröter bedauerte, daß die meisten Fenster mit Decken verhängt waren, so daß er die Fensterbretter nicht sehen konnte. Er war immer wieder erstaunt über diese phantastischen Szenerien, die sich wie zufällig arrangiert zu haben schienen, diese Wüstenlandschaften mit Kakteen, bemalten Steinen und den Indianerhauben der Alpenveilchen, den staubigen Brotbäumen, Azaleen und den alle Jahre wiederkehrenden Weihnachtssternen, zwischen denen plötzlich eine gläserne Hand auftauchte. Fensterbretter, diese kleinen Schaubühnen voller unheimlicher Überraschungen; porzellanane Schwäne neben fleischfressenden Pflanzen, perpetuum mobiles aus Glas, die vom Licht angetrieben werden, ein Miniaturguglhupf aus Plastik wird von einem schwarzen Panther angegriffen, die drei Affen natürlich, kleine Glashäuser in denen marzipanfarbene Vögel fliegen, eine durchsichtige schwarze Porzellanbarke mit Innenbeleuchtung zwischen zwei Gloxinen, ein rotes kleines Holzherz, immer Dein, vor einer fetten grinsenden Bronzekatze. Und über allem der Staub der langsamen Verzweiflung. Aschröter fragte sich, ob die Leute nicht merkten oder sahen, daß ihnen ihr Schmuckbedürfnis unter der Hand fast immer zu gefährlichen Landschaften geriet, in denen alle Gewißheiten aufgehoben waren und das Unheimliche hinter jedem Farnblatt lauerte.

– Der tut nichts! Der tut nichts!

Die schrille Stimme einer mürrischen alten Dame riß Aschröter aus seiner Betrachtung. Ein kleiner, ziemlich beißwütig aussehender Kläffer knurrte vor seinem Bein. Die ebenfalls ziemlich beißwütig aussehende Besitzerin der pelzverbrämten Bosheit keifte begütigend. Aschröter blieb vorsichtshalber stehen.

– Der tut nichts! Komm, Moppel!

Hatte sie jetzt ihn vor dem Hund beruhigt oder den Hund vor ihm? Na, denn. Aschröter ging weiter. Zapp. Etliche scharfe Beißerchen drückten in seine Unterschenkelhaut. Er schleuderte den Köter vom Bein.

– He!

– Da ham Sie Pech gehabt, schnarrte die Alte, der Hund mag keine grauen Socken. Komm, Moppel!

Und schon waren sie um die Ecke verschwunden.

Aschröter rieb sich das Bein. Nur gut, daß er seine lange Unterhose anhatte.

Natürlich war das alles soziologisch zu erklären. Die frustrierte Frau, Moppel, das lebendig gewordene Schmuckmonster, das die Unarten seiner Herrin angenommen hatte usw. usf. Aber was nützte das, wenn man gebissen worden war. Nun war es in diesem Fall keine Affäre, die Unterhose hatte die Raubtierzähne abgefangen, angenommen mal, dies wäre im Sommer passiert ...

Aschröter merkte, daß er von Arschbacken auf Kuchenbacken kam, und ließ davon ab. Auf jeden Fall hatte er sich jetzt eine kleine Labung verdient. Das Wort *Hopfenkaltschale* tauchte an seinem geistigen Horizont auf. Wo hatte er das aufgeschnappt?

Er lenkte seine Schritte in Richtung von *Fabrizios Gyros Pizza Imbiß* durch die feinen Schneewehen.

Als er von der Kesselstraße auf die Scharnhorststraße zukam, hörte er schon von weitem ein großes Palaver. Vor dem *Kesselflicker* – die andere Kneipe in der Kesselstraße hieß *Zum Kessel* – standen fünf Neger im Schnee und waren lautstark am Debattieren.

In der Mitte der Gruppe sprang ein kleiner Zottiger mit einem Gipsbein herum und führte das große Wort. Aschröter stellte sich in einen Hauseingang, um das Schauspiel zu beobachten. Da er die Sprache, die ihm erstaunlich wohlklingend schien, trotz der hohen Phonstärke nicht verstand, interpretierte er folgendermaßen: Der kleine Zottige mit dem Gipsbein wollte der Häuptling sein. Aber die anderen sagten: Nix Häuptling! Hier Demokratie! Was den Kleinen dazu veranlaßte, finstere Blicke zu werfen, seinen vom Konsum verdorbenen Kumpels hinsichtlich der Tradition gehörig die Leviten zu lesen und seine Legitimation als Häuptlingssohn durch eine drohende Gestikulation sowie die lückenlose Aufzählung einer langen Ahnenreihe zu untermauern. Was die anderen zum Lachen brachte. Was den Zottigen wütend machte, so daß er anfing, dem Nächststehenden aufs Maul zu hauen. Der sich nicht wehrte. Was zwei von den großen Kriegern dazu veranlaßte, dem Kleinen in den Arm zu fallen. Sie bändigten ihn mit Mühe und zerrten ihn weg. Noch auf der anderen Seite schlenkerte er mit dem Unterarm drohend seine Plastiktüte, da seine Oberarme sich immer noch in dem eisernen Griff der großen Krieger befanden. Was die verbliebenen Zwei, die das alles schon zu kennen schienen, dazu veranlaßte, hinter ihm herzurufen: Laß doch den Scheiß! Du tickst doch nich' sauber etc...

Fünf Neger im Schnee, dachte Aschröter. Da er die Gelegenheit nicht für günstig hielt, sie nach ihrem Befinden, bzw. danach zu fragen, wie sie die Kälte wegsteckten, ging er weiter.

Aschröter stieß die Tür zu Fabrizios Pizza-Imbiß auf. Ein Dunst von Pommes-Fett gemischt mit dem Geruch trock-

nender Mäntel schlug ihm entgegen. Fabrizio, ein korpu-
lenter aber behender Mann mit scharfen Augen, stand
hinter der Glastheke.

– Tach.

– Buon giorno, sagte Fabrizio würdevoll. Er war gerade
dabei, seine Salate wieder frisch zu machen, indem er die
unansehnliche Oberfläche mit einem Löffel nach unten
rührte.

– Wie geht das Geschäft?

– Ah. Ah. Es könnte besser sein. Es könnte besser sein.

– Klar, wer ißt bei dem Wetter auch schon Pommes, sagte
Aschröter und setzte sich an seinen Stammplatz an der
Heizung, ohne sich darüber Gedanken zu machen, ab
wann man eigentlich erst von einem Stammplatz reden
konnte, denn so oft war er noch nicht hier gewesen. Hinten
saß der große Spender, ein Rentner mit dicker Brieftasche.
Er zeigte sie gelegentlich. Aschröter hatte ihn schon ein
paar Mal hier gesehen. Ihm gegenüber kauerte eine zusam-
mengesunkene Gestalt, die sich auf seine Kosten vollaufen
ließ und sich dafür die Geschichten des großen Kosmopo-
liten anhörte.

Sie hatten beide schon etliche Asbach gekippt.

Fabrizio sah fragend in Aschröters Richtung.

– Ein Bier und einen Grappa.

Unverzüglich brachte Fabrizio das Gewünschte.

Das Grappaglas war randvoll.

Während Aschröter das Glas mit einem schnellen
Schwung, der es dem Grappe nicht erlaubte, über den
Rand zu schwappen, an den Mund führte, ging die Tür auf
und Dinogarth kam herein.

Sie war noch nicht alt, höchstens fünfunddreißig, aber in
ihrem Gesicht sah man schon die Spuren der langen

37

Nächte, die sie in Kneipen verbracht hatte, um sich von irgendwelchen Besoffenen aushalten zu lassen. Sie fand ihre Wärme und Geborgenheit im Gedröhn nächtlicher Zechereien.

– Is' das eine Kälte, sagte sie.

– Das hab ich heute schon mal gehört, sagte Fabrizio.

Sie ging an Aschröter vorbei nach hinten durch.

– Da kommt die schönste Frau der Welt, sagte der große Spender mit schwerer Zunge. Er tätschelte ihren Hintern oder das, was er dafür hielt.

– Na, Loipenfuchs, sagte Dino und setzte sich dazu.

– Einmal dasselbe für die schönste Frau der Welt, aber pronto!

– Hallo, Tolke.

– Halllo, lallte Tolke.

Fabrizio brachte das Bestellte und verzog sich wieder hinter seiner Theke. Über der Fritteuse hing ein Bild vom Vesuv an der Wand und auf einem Schild, das in eine Ecke gepinnt war, stand *Fabrizio Della Morte, Napoli*.

Dino erzählte irgendwas vom Zahnarzt, aber die anderen beiden hörten gar nicht zu.

– Oh, holde Jugendzeit, sang der große Spender mit brüchiger Stimme, von einem Schluck Weinbrand empor-gerissen.

– Die Vergangenheit ist ein Trümmerfeld, sagte Tolke. Und unter den Trümmern liegen Leichen.

– Leichen? Wo liegen Leichen?

– Unter den Trümmern der Vergangenheit.

– Was für Leichen denn?

– Die Leichen von den anderen und die Leichen von denen, die du hättest sein können.

– Das ist mir zu hoch, sagte Dinogarth.

38

– Hör doch auf mit dem Gesabbel, sagte der große Spender.

Tolke knickte ein und sagte nichts mehr.

V

Aschröter hatte gerade zwei Scheiben Brot in seinen Art-Déco-Klapptoaster gepackt, ein Geschenk seiner Verflossenen, als es klingelte. Er ging aufmachen.

– Hallo, sagte Detroy. Kennst du Happy Betty?

Er hatte zwei Bierflaschen in der Hand und die Zeitung von morgen unter dem Arm.

– Nee, sagte Aschröter.

– Happy Betty ist 'ne Figur aus einem Trickfilm, den ich mal gesehen hab, sie ist Besitzerin einer Supermarktkette und schießt von ihrer Zentrale kleine Raketen ab, die über den Köpfen der Leute stehenbleiben und ihrerseits Sonden in dieselben schießen, so daß die Leute nur happy sind, wenn sie bei Happy Betty kaufen. Er hielt Aschröter eine Flasche Kronenpils hin.

– Mit hat die Dortmunder Kronenbrauerei eine Sonde implantiert.

– Wie ist es gegangen? fragte Aschröter.

Detroy war bei der öffentlichen Rechtsberatung gewesen, um sich zu erkundigen, was er gegen die Forderung der Autofahrerin, die ihm ins Fahrrad gefahren war, unternehmen konnte.

– Oh, leicht. Der Anwalt hat gesagt, ich solle meinerseits einen Brief schreiben, in dem ich meine Forderungen stelle, Schmerzensgeld, Vorderrad usw., und sie etwa

zwanzig Mark höher ansetzen als die von der Gegenpartei. Wenn sich dann noch was tut, soll ich wiederkommen.
— Was stinkt'n hier so, fragte Detroy, als sie in die Küche kamen.
— Ach, du Scheiße, sagte Aschröter. Der Toast!
Aber es war kein Toast mehr, sondern nur noch schwarzes verbranntes Brot, weil der Toaster keine Abschaltautomatik besaß. Einen Stufenregler sowieso nicht. Mist! Aschröter warf die schwarzen Schnitten in den Mülleimer. Ja, sogar einen Mülleimer hatte er sich inzwischen zugelegt!
— Hast du gesehen, fragte Detroy und deutete mit dem Kopf nach links in Richtung letzte Wohnung auf der Etage. Kadur hatte einen Zettel an seine Wohnungstür geklebt. *Bin bis einschließlich 3. 3. zur Kur.*
— Klar, heute nachmittag, als ich auf dem Balkon eine Zigarette geraucht habe, stand er in seiner Küche. Er tat so, als bemerkte er mich nicht. Dann hat er kurz rübergegrüßt, ohne sich auf weiteres einzulassen.
— Der spinnt, sagte Detroy. Neulich hat er mir erzählt, daß er dabei war, wie auf der Sozialfürsorge einer ausgerastet ist und den Sachbearbeiter mit einer Gaspistole bedroht hat.
— Naja, er hat eben allerhand Leute im Nacken, seine Ex-Frau, seine früheren Arbeitskollegen, denen er Geld schuldet, die VEW, das Gaswerk, was weiß ich . . .
— Und was der für Heldentenöre aus seinem Lautsprecher knödeln läßt. Detroy kratzte sich angewidert am Kopf.
— Laß ihn doch. Er kennt eben nichts anderes.
— Er will nichts anderes kennen.
— Weißt du's?
Detroy war nicht überzeugt.
Aschröter war hundemüde.

– Heute früh waren sie schon wieder am Toben. Haben mich aus dem Schlaf geholt, morgens um halb acht. Sie hat ihre Stimme direkt in meinen Morgentraum reingepfeffert.

– Wer?

– Die drei von der Trinkhalle. So wie das polare Klima etwas nachgelassen hat, sind sie wieder draußen.

– Nachgelassen ist gut.

Die Trinkhallengang bestand aus drei Kampftrinkern, der Noblen vom Morgen, dem Sachsen und Flaumbart. Sie postierten sich allmorgendlich, vorausgesetzt das Bier gefror ihnen nicht in der Flasche, auf dem Bürgersteig vor der Trinkhalle gegenüber von Aschröters Fenster. Die Noble vom Morgen hatte immer ihren Köter dabei.

– Freddi! Freddi! Komm hierher!

Schon am frühen Morgen fing sie damit an, den Hund abzusauen, stieß ihn sogar mit dem Fuß. Doch der Köter schien das zu mögen. Der Sachse hatte eine sehr kultivierte Art, sein Bier zu trinken. Mager und ziemlich groß, stand er wie ein Kranich auf dem Bürgersteig, sah sich um, ob jemand guckte, öffnete seine Jacke, holte die Pulle aus der Innentasche, nahm einen kräftigen Schluck und verstaute die Flasche wieder in der Jacke. Die Noble und Flaumbart hatten ihre Bierflaschen wegen der Schicklichkeit hinter dem kleinen Mäuerchen des Vorgartens. Die Noble wandte sich immer ab, wenn sie einen Schluck nahm. Flaumbart machte es nichts aus. Die beiden Männer tranken nur Bier, die Noble gönnte sich zusätzlich am späten Nachmittag zwei, drei, vier von diesen kleinen Anisschnapsfläschchen für einsfuffzig. So standen sie, schon gegen halb acht, und guckten zu, wie die älteren Kinder sich am Kiosk für die Schule ausrüsteten.

– Ich krieg 'ne Untermieterin.

– Ach. Tatsächlich. Ist sie hübsch?

– Annette? Geht so.

– Und was sagt deine Freundin dazu?

Detroy hatte eine Freundin. Sie sahen sich allerdings nicht sehr oft, weil sie in Bochum wohnte. Aschröter kannte sie nur vom Hörensagen.

Detroy kratzte sich am Kopf.

– Sie hat mir abgeraten. Sie sagt, das würde nicht gehen. Wir würden uns gegenseitig im Wege sein, und mit dem Waschbecken, ein Waschbecken für zwei Personen, das würde zu Komplikationen führen und so weiter, wobei ich natürlich nicht glaube, daß dies das primum mobile ihrer Rede gewesen ist.

– Nicht anzunehmen.

– Naja. Auf jeden Fall reduziert das die Miete. Und ich bin nicht mehr so allein, wenn ich nach Hause komme.

– Wie wär's mit etwas elisabethanischer Lautenmusik?

– Und hinterher Barbara Strozzi mit Randell Wong...

Aschröter warf die Kassette ein, und schon griff das Julian Bream Consort mit Julian Bream an der Laute in die Saiten *Mounsiers Almaine* ...

– Das ist eine Allemande, sagte Detroy. Hast Du noch Bier?

Aschröter ging an den Kühlschrank, holte zwei Dosen raus und stellte sie auf den Tisch. Sie fingen an, mit Tempotaschentüchern die Dosendeckel zu säubern.

– Eine Granate, sagte Detroy und zog ab.

– Eine Allemande für Herren...?

Sie tranken und rauchten.

Oh, Mistress mine, where are you roamin' ...

Schwermut fiel über Detroys Gemüt. Er hatte vorhin mit Anais telefoniert.

– Ich hab vorhin mit Anais telefoniert.

42

– Und?

– Sie will mich nicht.

– Wieso?

– Sie hat abgelehnt, am Telefon darüber zu sprechen.

– Wann seht ihr euch?

– Nie mehr.

Detroy versank in dumpfes Brüten.

Er liebte die Poschs. Die geigespielenden Bonzentöchter waren es, die ihn anzogen. Er hatte schon eine ganze Serie gelegt. Adele Posch. Constanze Posch. Denise Posch. Monika Posch. Meistens machten sie ihm nach kurzer Zeit schlechte Laune, und dann brach er ab. Was im Falle von Adele den Ausbruch eines latenten Alkoholismus bewirkt hatte. Sie hatte ihn nicht einmal erkannt, als sie sich letztes Mal begegneten. Luise, die nymphomanische Krankenschwester, die nachher den Arzt geheiratet hatte, war eher eine Ausnahme gewesen, lag sozusagen im Bereich der Pflichten seines Zivilen Ersatzdienstes. Eine heiße Zeit, aber viel länger hätte er es auch nicht durchgehalten. Und dann war er an Anais geraten. Anais Posch aus Bochum. Sein Herz schlug schneller, wenn er nur an ihren Namen dachte. Sie spielte Geige und liebte Barockmusik. Ihr Lieblingsstück waren die *Musikalischen Frühlingsfrüchte* von Dietrich Becker. Darüber konnte er hinwegsehen. Er hatte sich total in sie verliebt. Aber bei ihr biß er plötzlich auf Granit. Sie schätzte seinen Lebenswandel nicht.

– Kannst Du mir mal sagen, warum dich eine Frau davon abhalten wollen sollte, mit deinen Kumpels einen zu saufen und zu paffen? Anais war über ihn gekommen wie eine Hornisse. Allerdings vielleicht aber auch erst, nachdem er sie ein- oder zweimal zu einem Treffen mit seinen hardcore-Säuferfreunden mitgenommen hatte, als da wa-

43

ren Lampe, Mutter, der Devonshire-Ripper, Greta Grell und der Dichter Markus Mancini, der einmal zusammen mit einem Schauspielschüler eine Schlägerei mit Theaterblut auf dem Westenhellweg inszeniert hatte, zur Hauptverkehrszeit; total blutend waren die beiden nachher Arm in Arm lachend abgezogen, die Meute hätte sie fast gelyncht. Wobei Anais nur dabeisaß, während er sich vollaufen ließ, und kein Wort sagte, auch nichts trank, weil sie ja noch mit der Ente nach Bochum mußte und weil sie sowieso nie trank, weil sie trinken abscheulich fand, das ging gegen ihr puritanisches Ethos, sechs Stunden Geige üben am Tag, jeden Tag, und wenn die Geige mal drei Tage in Reparatur ist, Entzugserscheinungen kriegen, und dann diese Stimme, der spitze Finger des Vorwurfs, wie ihre Mutter, so war sie über ihn gekommen, als sie ihn zum ersten Mal in seiner Wohnung besucht hatte, keine Freunde, kein gar nichts, Zappa hören und Zippy lesen, das ist alles, was du kannst, hatte sie zu ihm gesagt, das warf ihn erstmal auf die Couch, er glaubte seinen Ohren nicht zu trauen, dann war sie über ihm, kreiste über ihm wie ein Fluginsekt mit einem mechanischen Stachel, stach ihn, führte ihm seine Nichtswürdigkeit vor Augen, und alles in dieser nöligen vorwurfsvollen Stimme ihrer Mutter, daß er sich noch eine Woche später wie der letzte kleine Arsch fühlte, sie machte ihm unheimlich schlechte Laune – aber er liebte sie! Er liebte sie! Und jetzt sollte alles aus sein! Aschröter sah den in seinem Schmerz erstarrten Detroy an, aber ihm fiel nichts ein. Das geht vorüber, dachte er.

Ein zerrissenes Ächzen entrang sich Detroys Brust. Er riß die Arme hoch, aaaahhhh! aaaaahhhhhhh! Neiiiiiiiiiin!, er sprang auf, hob die Arme zum Himmel und schrie

ANAiiiiis!!!!!, ahhh, warum!, warum!!! das darf nicht sein, ahhh, ich sterbe, ich sterbe, er schlug die Hände vor die Augen, krümmte sich, nein!, nein!, er schlug sich mit den Fäusten vor die Brust, er schlug sich die Fäuste in den Magen, er krümmte sich immer mehr, fiel vornüber, ahhhh!, neiiiiin!, er wälzte sich auf dem Kokosfußbodenbelag, rieb seine Stirn an dem Kokos, bis sie fast blutete, ich lieb sie doch so, schluchzte er, ich lieb sie doch so, aaaaaaaahhhhhhhhhhhhhh!!!!!!!!!!!!!!!!, er wälzte sich auf dem Boden, Schaum trat ihm vors Maul, und dann sah Aschröter, daß es kein Schaum war, sondern Kotze, die ganz langsam aus Detroys Mund kam und einen Fleck auf dem Teppich bildete, der immer größer wurde und in den Detroy seinen Kopf legte, lang liegenblieb und nur noch leise wimmerte.

VI

Mit den Kartoffeln hatte er sich nicht verkauft. Sie sahen ausgesprochen gut aus. Kräftig gelb. Keine fahle Blässe. Und vor allen Dingen fest kochend. Die erste dampfende Pellkartoffel lag auf seinem Teller. Er zerteilte sie in mundgerechte Stücke, spießte eins mit der Gabel auf, hob einen Klacks Quark auf das Kartoffelstück, schob es, nicht ohne es vorher gesalzen zu haben, in den Mund und fing an, es zu zermalmen. Bißfest und wohlschmeckend, und auch der Knoblauchquark, den er sich bereitet hatte, kam bestens dazu. Aber der Butterblock, der in dem auseinandergefalteten Papier vor ihm auf dem Tisch lag... Er sah genauso aus wie die eine der beiden Verkäuferinnen in der

Bäckerei auf der Schützenstraße, bläßlich und voller Unheil verheißender Emanationen. Nein, diese Butter sah nicht gut aus. Sie hatte etwas Stählernes an sich, eine Aura wie der Schatten eines blaurasierten Kinns oder eher wie das matte Glänzen auf dem Lauf einer Handfeuerwaffe. Die verdammte Butter wirkte radioaktiv! Oder auf eine irgendwie andere Weise verstrahlt. Das Gefühl wurde immer stärker.

– Was ißt Du lieber, verstrahlten Quark oder verstrahlte Butter?

Quatsch! Die Butter sah nicht gut aus, und sie schmeckte metallisch. Er würde sie nicht essen.

Aschröter packte den Butterblock wieder ein und warf ihn in den Mülleimer. Er wußte, daß er in Zeiten lebte, in denen man sich nicht einmal mehr auf sein Gefühl verlassen konnte, aber er hatte jedenfalls auch nicht die Absicht, es zu überhören. Er fühlte sich wohler, als die Butter nicht mehr auf dem Tisch lag, und widmete sich nun mit Behagen den Pellkartoffeln. Wobei ihm der Gedanke kam, daß mit dieser Art von Butter, vorausgesetzt sie war tatsächlich verstrahlt, sagen wir mal cirka 9857 Bequerel, ein gut Teil der Strukturprobleme von Städten und Gemeinden im Hinblick auf die Sozialausgaben gelöst werden könnten. Eine Wagenladung günstiger Tschernobyl-Butter in die entsprechenden Viertel gekarrt, und der Sozialhaushalt war in absehbarer Zeit entlastet.

Vielleicht sollte er einmal eine dahingehend formulierte Eingabe machen. Aber vorher mußte er endlich zur Bank, um seine Geldangelegenheiten zu regeln. In der Eile des Umzugs hatte er nur kurz ein Girokonto eröffnet und sein kleines Vermögen darauf überwiesen, wo es jetzt nach etlichen Wochen immer noch unverzinst lag. So gesehen hatte er in diesen Wochen schon eine Menge Kisten Bier verloren. Was sicherlich auch nicht im Sinne von Onkel Ferdinand war, der ihm die Kohle als letzte Tat rübergeschoben hatte.

Aschröter machte sich ausgehfertig, zog den Mantel an, einen neuen Hut sollte er sich vielleicht bei Gelegenheit auch mal zulegen, und verließ seine Wohnung. Als er seine Tür abschloß, öffnete sich die Wohnungstür von Kadur, der immer noch zur Kur war, einen Spalt.

– Eh! Eh! Rudolf! Rudolf!

– Fritz. Was is?

– Bring mir mal 'ne Flasche Asbach mit.

Er streckte die Hand raus und gab Aschröter ein Geldstück.

– Für fünf Mark?!

– Den Rest kriegst du morgen.

Unten im Flur rührte sich etwas.

– Klopf das Zeichen. Ich bin nicht da.

Und schon war er in der Wohnung verschwunden, und die Tür war zu. Aschröter guckte auf die verschlossene Tür, auf die fünf Mark in seiner Hand, zuckte mit den Schultern und ging die Treppe runter. Es war ein klarer, kalter aber sonniger Tag, und die eine Hälfte der Feldherrenstraße lag im Schatten, die andere in der Sonne. Aschröter kniff die Augen zusammen, als er aus der Haustür trat. Es war gegen elf Uhr vormittags, und auf dem Bürgersteig auf der Sonnenseite strebten etliche ältere Damen, die, obwohl sie schon lange allein waren, die regelmäßigen Kochgewohnheiten nicht aufgegeben hatten, mit gefüllten Einkaufstaschen nach Hause.

Aschröter genoß die Sonnenwärme auf seinem Gesicht und dachte an die leidigen Bankgeschäfte, mit denen er sich gleich würde herumschlagen müssen. Er entschloß sich, erstmal nicht daran zu denken und sich ausschließlich den ungewohnten Strahlungen des Mittelpunktes jenes Sonnensystems hinzugeben, in dem er sich irgendwo befand.

Zwei junge Katzen schliefen auf einem Fensterbrett in der Sonne. Sie lagen übereinander, und die schwarze zuckte im Schlaf.

– Nehmen Sie sofort das Schild ab! Nehmen Sie das Schild ab!

Sie nehmen jetzt sofort die Leuchtreklame wieder ab hier! Sofort, hab ich gesagt, sagte der Griller an der Ecke Feldherren, Blücher zu dem Monteur, der auf der Leiter stand und an einer nagelneuen First-Leuchtreklame herumschraubte.

In der Sparkasse war der Teufel los. Oder jedenfalls sah es so aus. Vor den Schaltern drängten sich die Schlangen. Einige hockten vor den Automaten und nahmen zähneknirschend ihre Computerauszüge entgegen. Überall in der Schalterhalle standen Gruppen und Grüppchen und debattierten erregt. Es ging um Geld, das war klar, und nicht mal um große Summen. Mit Mienen, die besagten, daß sie im Recht waren, stolzierten die geschniegelten Bankangestellten hinter den Tresen umher und ließen sich Zeit, viel Zeit.

– Nein, Sie kriegen hier nichts mehr! Sie kriegen hier nichts mehr! Scheren Sie sich endlich weg, sagte eine mißmutig blickende Bankangestellte zu einem verlotterten Kerl, der ihr demütig seine offene Hand hinstreckte.

– Morgen ist es da, bestimmt, bestimmt, weinte er.

– Dann kommen Sie morgen wieder.

– Sie wünschen?

– Ich brauche eine Anlageberatung, sagte Aschröter.

– Worum handelt es sich.

Sie musterte Aschröter vom Hut bis zum Mantelrevers. Der Rest blieb ihr verborgen, da sie den Tresen zwischen sich hatten. Was ihr in jedem Falle ein sichereres Gefühl gab.

– Ich habe ein Girokonto bei Ihnen eröffnet und eine nicht unerhebliche Summe darauf überweisen lassen. Ich möchte dieses Geld anlegen.

– Ihre Kontonummer, bitte.

Sie tippte dieselbe auf einer Tastatur ein und bekam nach kurzer Zeit eine Bildschirminformation.

– Nicht unerheblich, sagte sie und kräuselte die Lippen. Das Geld ist zwar schon im Pool, aber es ist noch nicht auf ihr Konto gebucht.

– Was heißt das?

– Sie können zur Zeit noch nicht über das Geld verfügen.

– Was soll das heißen?

– Was ich gesagt habe.

– Wollen Sie damit sagen, daß ich jetzt von meinem eigenen Konto kein Bargeld abheben kann.

– Naja, sagte sie etwas irritiert, in Anbetracht der Sachlage ...

– Ich habe noch keine Schecks, sagte Aschröter.

– Schecks darf ich Ihnen keine ausstellen. Dazu müssen Sie erst ein Vierteljahr Kunde sein.

– Dann geben Sie mir jetzt eine Kassenanweisung über siebenhundert Mark, und sagen Sie mir, wo ich den Filialleiter finde.

– Da werden Sie kein Glück haben. Er ist im Moment beschäftigt.

– Wo, fragte Aschröter.

– Da drüben.

Aschröter unterschrieb, nahm die Anweisung und ließ sie, ohne sie eines weiteren Wortes zu würdigen, stehen. Was aber, wie er bemerkt haben würde, wenn er sich umgedreht hätte, völlig ohne Wirkung blieb, da der trüben Tasse die ganze Angelegenheit so schnuppe war, daß sie es nicht einmal mitkriegte.

Die zwei etwas besser bezwirnten Kerle, die sich auf den Ledersesseln rumlümmelten und Zigarillos rauchten, nahmen keine Notiz von Aschröter, der in der Tür stand und mit dem Knöchel einmal gegen dieselbe schlug.

– Guten Tag. Ich suche den Filialleiter.

– Sie wünschen?

– Ich brauche eine Anlageberatung.

Der andere drehte sich auch um. Sie guckten Aschröter an.

– Nehmen Sie doch bitte draußen Platz. Ich schicke Ihnen gleich einen Sachbearbeiter.

– Danke. Ich werde mir eine andere Bank suchen, sagte Aschröter. In einer Denkblase stieg das Wort *Herr Anlageberater!* auf.

Aber mit Unflätigkeiten kam man hier auch nicht weiter. Aschröter schwitzte. Er fühlte sich machtlos. Er merkte, wie die Wut in ihm aufstieg. Noch ein bißchen mehr, dachte er. Noch ein bißchen mehr und ich verwandle mich in einen kleinbürgerlichen Rambo mit Schaum vorm Maul und richte ein Blutbad an, aber nicht aus ästhetischen Gründen, meine Damen und Herren!

– Lächerlich!

Er würde sich einfach eine andere Bank suchen und fertig. Er konnte sich das leisten. Aber was war mit all diesen anderen, die hier in der Halle herumliefen wie Falschgeld und sich von diesen Kapitalknechten demütigen ließen. Wie groß mußten ihre Taschen sein, daß sie das alles

50

wegstecken konnten. Da blieb als letzter Ausweg nur ein Schäferhund, den man zur Sau machen konnte.

Aschröter hob das Geld ab und verließ die Bank.

Der Himmel war immer noch blau, und die Sonne stand jetzt fast im Zenit. Aschröters Gemüt heiterte sich etwas auf. Aber er vermied es, den Leuten, die ihm entgegenkamen, ins Gesicht zu sehen.

Einer der Gruftie-Zwillinge aus dem Nebenhaus kam ihm auf dem Fahrrad entgegen. Sie trug eine schwarze Kappe, ein schwarzes, gefüttertes Blouson, schwarze Hosen und schwarze Schnürstiefel. Aschröter wußte, egal ob Vero oder Zero, daß die Kappe einen hennaroten Stoppelhaarschnitt verbarg.

Die Fingerhüllen ihrer schwarzen Fingerhandschuhe waren abgeschnitten, und mit den Fingern machte sie auf dem Handteller klapp, klapp, klapp. Sie lachten sich an.

Aschröter winkte.

Bei Aldi waren wieder zahlreiche Beutegermanen dabei, sich die Wagen vollzupacken. Der Knilch vor Aschröter fuhr seinen Pekinesenverschnitt zwischen den Waren spazieren. Was Aufsehen erregte. Die Kassiererin gab den Vorfall an die Filialleiterin weiter.

– Trude, da fährt einer einen Hund durch die Gegend!

Trude trat auf den Plan

– Hallo! Sie können doch hier nicht einfach mit einem Hund durch die Gegend fahren!

– Wieso? Der tut doch nichts.

– Na, hören Sie mal, sagte eine Frau, erst sitzt ihr Köter mit seinem wurmigen Hintern da drin und dann soll ich da meine Waren reintun ...

– Schwarz-Schilling hat die Hunde sogar in der Post zugelassen, sagte der Hundebesitzer.

51

– Hier geht das nicht, sagte Trude gebieterisch.

– Allein laß ich ihn nicht draußen.

– Dann muß ich sie ersuchen, das Ladenlokal zu verlassen.

– Sie haben mich hier zum letzten Mal gesehen!

– Hoffentlich, sagte die Kassiererin sotto voce.

– Hier laufen aber auch ein paar Beknackte rum!

Das Fließband lief wieder. Eine Mehltüte kam ihr entgegen. Aschröter stand vor den Spirituosen und guckte. Der war gut! Asbach. Gab es hier gar nicht. Vielleicht sollte er sich auch eine Flasche mitnehmen. Er griff nach dem französischen Cognac. Und für Kadur einen von der billigen Sorte? Nee. Er schnappte sich noch eine Flasche. Exquisit. Trois étoiles. Dieser Tropfen würde Kadur am Gaumen erblühen. Und nicht nur ihm.

Als Aschröter die Treppe heraufkam, sah er, daß jemand etwas an Kadurs Tür angepinnt hatte (unwillig, verärgert, der Kerl is' schon wieder nicht da!!). Auf die Rückseite der Karte hatte er mit blauem Kuli geschrieben *Sollten Sie in der Zweigstelle zahlen, bringen Sie diese Karte unterschrieben mit.* Der Mann von der VEW war dagewesen. Aschröter klopfte das Zeichen. Ein leises Schurren hinter der Tür, sie wurde einen Spalt geöffnet.

– Hat es geklappt? fragte Kadur rhetorisch.

Wortlos nahm er die Flasche in Empfang. Aschröter deutete mit dem Kopf auf den Zettel an der Tür.

Kadur machte eine wegwerfende Handbewegung.

– Ich bin nicht da, sagte er und schloß die Tür.

Fritz Kadur stellte sich tot.

Er fühlte sich wohl, wenn er sich tot stellte. Verdunkelte Zimmer, Kerzenlicht; er ging auf Socken im Sommer, im Winter trug er diese warmen lammfellgefütterten Hausschuhe aus einem Restposten, ebenfalls sehr leise. Mochten sie an seine Tür pochen, hämmern und rufen, Drohbriefe anpinnen und auf seine Fußmatte spucken, er, Fritz Kadur, meldete sich nicht.

Durch den Spion guckte er schon lange nicht mehr. Er wollte es gar nicht wissen. Praktisch war natürlich, daß der Junge von nebenan ihm immer die Zeitung auf die Matte warf. So konnte er in Ruhe den Kraftfahrzeugmarkt und die Sonderangebote studieren, und gleichzeitig lag auf seiner Matte immer eine Zeitung, sozusagen als psychologische Beweisführung seiner Abwesenheit.

Jetzt würde er sich erstmal einen Asbach genehmigen. Tabak und Hülsen reichten noch für zwei Wochen. Die zwanzig Ölsardinendosen aus dem Bruch gingen allerdings langsam zur Neige.

Auf dem Klo goß er nur noch Wasser nach, damit er nicht die Spülung drücken mußte, die durch das ganze Haus dröhnte. Er konnte sich vorstellen, daß die Siebengel jede einzelne Spülung im Haus genau kannte. Seine Wäsche war jedenfalls wieder tip top in Schuß. Er hatte verschiedene Preisrätsel in Arbeit und reichlich Kreuzworträtsel liegen. Er spitzte auf die einwöchige Schwarzwaldreise für zwei Personen in der *Bäckerblume*. Man könnte sich das Geld auszahlen lassen... Aber dabei würde man Verlust machen. Vielleicht sollte er mit Trude fahren... Er genehmigte sich erstmal einen Asbach.

VII

Zwei Männer saßen in einem Raum, der von den beiden
jungen Frauen, die vorher darin gewohnt hatten, durch
den blauen Anstrich zweier nebeneinanderliegender
Wände verschönt worden war.

Es war ein helles Blau, das die beiden Männer an Griechenland erinnerte. Doch darüber redeten sie nicht.

Der eine war gerade dabei, sich eine Asthma-Zigarette zu
präparieren, d. h. er bestrich die Fertiggedrehte mit einem
Tropfen Rödler-Heilöl, um sich in den Genuß des Menthol-
geschmacks zu bringen. Der andere rauchte ohne. Er
sagte, wenn ich Tabak rauche, will ich auch Tabak
schmecken.

– Rödler for president, sagte der jüngere Mann und hielt
die eingeölte Zigarette voller Stolz über seine hervorra-
gende Arbeit in die Höhe. Aus dem Radio-Recorder er-
klang italienische Vokalmusik des siebzehnten Jahrhunderts für Singstimmen und basso continuo, im wesentli-
chen Kompositionen von Barbara Strozzi, gesungen von
Judith Nelson und Randall Wong, einem hervorragenden
chinesischen Falsettisten, dessen Stimme in Geschmeidig-
keit der seiner Partnerin in nichts nachstand. Über diesem
Phänomen waren sie nun beide wieder dabei, außer sich zu
geraten.

– Hör dir das an! Hör dir das mal an, sagte Detroy, diese
Kadenz! Unglaublich! Unglaublich! Wenn Bach sich so
etwas erlaubt hätte, wäre er gesteinigt worden.

– Und das in einem Panegyrikos, nee, Epithalamium.

Es handelt sich bei diesem Stück um eine Hochzeitskomposition für die Vermählung Ferdinands III. von Österreich mit Maria Leopoldina von Österreich, in deren Verlauf der Hochzeitsgott Hymenaeus beschworen wird, der unter Kriegslärm vom festlich geschmückten Himmel herabsteigt, um unter seinem wohltätigen Einfluß glückliche Tage und bessere Jahrhunderte anbrechen zu lassen. Was Barbara, die komponierende und singende venezianische Bonzentochter, nicht daran gehindert hatte, mit einer garstig retardierenden Kadenz die ganze Angelegenheit in ein ziemlich merkwürdiges Licht zu tauchen.

Detroy war hingerissen. Wahnsinn, dachte er. Wahnsinn.

– Himmelherrgott, sagte er, das wäre die Frau für mich gewesen. Die oder keine. Barbara Strozzi. ah!

Aschröter stellte noch zwei Bier auf den Tisch.

Hast du was von ihm gehört?

Aschröter nickte nach links rüber zur blauen Wand hin, hinter der ihr gemeinsamer Nachbar sich schon seit einiger Zeit erfolgreich tot stellte.

– Gehört nicht, aber ich weiß, daß er da ist.

– Macht er Geräusche?

– Nein, aber er tauscht die Zeitungen immer aus. Er nimmt die neue weg und legt die vom Vortag oben drauf.

– Nicht schlecht.

– Versteh nicht, warum er nicht Schluß macht, bei all dem Scheiß, den er am Hals hat.

– Pessimisten hängen mehr am Leben.

– Er ist ein dummer Hund!

– Er ist ein armes Schwein.

Detroy war nicht überzeugt, weil er davon ausging, daß jeder Mensch sein Leben selbst in die Hand nehmen muß, um etwas daraus zu machen, aber er sagte nichts. Die

Veltinsflaschen wuchsen um seinen Sessel herum. Er stellte noch eine leere dazu. Die Phalanx der Flaschen. Eine Schlachtenmusik für Glockenspiel, mit Wasser gefüllten Bierflaschen und ein Cornett. Er würde es selbst ausführen müssen.

– Hör Dir das an, sagte er. Lodovico Viadana. Ein Mann, der von der Stange gearbeitet hat und dann dies!

Sechsunddreißig Musiken von dieser Sorte hatte Viadana in seinem Leben geschrieben, ungefähr siebenundzwanzig zu viel, wenn man für jedes Stück die gebotene Sorgfalt und Konzentration voraussetzte. Und dann dieses Stück. Es war zum Ausflippen. Es war der Beweis, daß Viadana es draufgehabt hatte. Aber er hatte sich verzettelt, Auftragsmusiken etc... Detroy hatte sich entschlossen, wenig zu komponieren, aber nur Spitzenleistungen zu bringen. Er würde es schaffen, das war klar.

– Das ist heroische Musik, von einer unheimlichen heroischen Trauer, und dann diese gezügelte Wildheit. Hast du mal ein Foto von Alistair Crowley gesehen? Wenn du das mal gesehen hast: er mit wirrem Haar und diesem dämonischen Bart, dieser stechende Blick in die Kamera, das ist genauso wie diese Musik.

– Hervorragend, sagte Aschröter. Ich würde gern nachher nochmal den Chor der Geister der Unterwelt hören.

– Weißt du, daß das das Lieblingsstück meiner Ex-Freundin Adele war? Adele hatte natürlich Geige gespielt, hinreißend, aber dann hatte sie angefangen zu saufen. Das konnte nicht gutgehen. Sie war unheimlich grell drauf gewesen. Mit neunzehn war sie schon gedunsen und hatte geplatzte Äderchen im Gesicht. Der Chor der Geister der Unterwelt aus Monteverdis *Orfeo* und Punk, da stand sie drauf. Einmal hatte sie bei der Aufführung einer seiner

56

Kompositionen in der Kirche von Hörde die Geige gespielt. Sie war der absolute Star gewesen, und das obwohl sie im Gruftie-Look aufgetreten war. Alles in schwarz, mit bleichem Gesicht und diesen riesigen Augen, ein stachelbewehrtes Hundehalsband um den Hals und einen schwarzgefärbten Stoppelhaarschnitt. Die alten Omas waren scharenweise gekommen, um ihr die Hand zu schütteln.
– Das war soo schön!
Und er hatte daneben gestanden und gegrinst. Sie hatte tatsächlich wie eine Göttin gespielt. Leider mußte er sich schon für die nächste Aufführung einen Ersatzgeiger suchen, weil nicht sicher war, ob sie bei ihrem Konsum überhaupt noch den Bogen würde führen können ... Sie war dann auch nicht mehr aufgetreten, aber da hatten sie schon Knieß.
– Schade, daß er das Ding verrissen hat, sagte Detroy. Diesen Schluß hätte er sich wirklich sparen können. Den Chor und die Moreska. Ich meine, es wäre genug gewesen, wenn er mit dem *Saliam* aufgehört hätte.
– Der Apollon gefällt mir vom Gesang her besser als der Orpheus.
– Trotzdem. Ich hätte die Hörer einfach nach dieser Himmelfahrt so sitzen lassen.
Detroy mußte wieder an Anaïs denken. Während er an Anaïs dachte, stieg in ihm dieses Bild auf, das er bei der Zürcher Aufführung von *L'Orfeo* gesehen hatte. Der Bühnenbildner hatte mit Hologrammen gearbeitet, und Orpheus stieg auf, strahlend, ein Fixstern, ein Stern zwischen Sternen in einem bewegten Sternenhimmel.
– Oh, Scheiße! Was ist eigentlich aus der Kotze geworden?
– Da ich nicht in Kotze leben will, habe ich es selbst erledigt.

– Gut, sagte Detroy erleichtert und halbwegs zerknirscht.

– Aber du mußt zugeben, daß das auch eine Auszeichnung ist. Immerhin würde ich nicht bei jedem meinen Schmerz so ausagieren.

– Es wäre gut, wenn du mich nicht zu oft auszeichnen würdest, sagte Aschröter, der an etwas anderes gedacht hatte. Er war gerade mit seiner Vorgeschichte beschäftigt gewesen. Immer wieder dieses Wiederkäuen von Gehabtem und Erlebtem, das sich unter den mahlenden Zähnen veränderte und trotzdem der selbe Brei blieb. Detroy sah diesen dicken Brummer fliegen und hatte die Szene bei Mutter vor Augen, dieser dicke Brummer, der da auf dem Abendbrotteller herumkroch, mit seinem Rüssel selbstvergessen die Krümel absaugend, und Mutter mit seinem Tae-Kwondo-Schlag haut auf diesen Frühstücksteller, um den Brummer breit zu machen, und der Brummer fliegt hoch, ein fettes Vieh, und Mutter haut den Teller in Scherben, und der Brummer lebt. Das war Tae-Kwondo.

Detroy als Goju-rio-Mann hätte das natürlich nicht passieren können. Die Tae-Kwondo-Leute hatten einfach nicht begriffen, daß aggressives Verhalten sich immer gegen den Mann selber richtet, der es praktiziert. Da waren die Aikido-Leute schon anders drauf, obwohl natürlich auch irgendwo Neurotiker wegen ihrer Berührungsangst, aber immerhin, da gehörte schon einiges dazu, das Aggressionspotential des Angreifers so umzulenken, daß es ihn selber traf. Eine klare Vorstellung: jemanden ins Leere laufen lassen...

– Das ist ja lang geil, sagte Detroy. Ich hab gerade 'ne Karate-Erleuchtung.

– Naja, Einsicht ist Aufhellung, aber ob das gleich 'ne Erleuchtung ist...

– ...sei dahingestellt. Trotzdem. Stell dir mal vor, du kämpfst gar nicht. Kämpfen ist verboten. Du läßt den Angreifer ins Leere laufen. Gibst ihm nur noch einen Schubs.

– Was fällt, muß gestoßen werden.

– Ziehst ihn am Ärmel ein Stück weiter in seine Richtung... Aber da war diese blöde Berührungsangst. Das sagte Detroy nicht zu. Er machte Jiushinkan. Was besonders hart hieß, oder auch härter als hart. Gleichzeitig aber auch jiu shin kan, vom gebenden Herzen zum nehmenden Herzen.

– Das bedeutet, daß alles, was du gibst, auf dich zurückfällt.

– Haut ihr auch Bretter kaputt?

– Das ist eine der leichteren Übungen. Man schlägt immer mit der Maserung.

– Was?!

– Was dachtest du denn? Die legen die Bretter alle so, daß sie mit der Maserung schlagen.

– Das is' ja 'n Ding.

Das kannst du auch. Wetten.

– Hm.

– Ich besorg nächste Woche ein paar Bretter, und dann werden wir mal den Bruchtest machen.

– Prima.

Aber Aschröter hatte das Band eingeworfen, das Anais ihm aufgenommen hatte. Mit ihrer Lieblingsmusik. Er hatte immer Pech mit Frauen. Sie stand auf Barockmusik. Unmöglich! Auf Barockmusik! Was konnte er dagegen tun. Gar nichts. Er liebte sie. Und ihre Geigenarbeit war vorzüglich.

– Stell dir das mal vor, sagte er. Das ist ihr Lieblingsstück,

59

die *Musikalischen Frühlingsfrüchte* von Dietrich Becker. Da fallen dir die Augen zu.

– Ein echter Dröhnbüdel, sagte Aschröter.

Denn in der Tat waren die *Musikalischen Frühlingsfrüchte* von Dietrich Becker (geboren 1623, gestorben 1679 zu Hamburg) eher eine lahme Gabe, ein sozusagen ziemlich trübes Auftragsstück, das Herr Becker, der, unter Zuhilfenahme der zeitgenössischen Kompositionsrhetorik ein absolut mediokres piece hingestellt hatte, sich ziemlich abgewürgt haben mußte für ein paar Mark fuffzich. Und das alles hinter Johann Heinrich Schmelzer (keine Datenangabe) und Johann Kaspar Kerll (1627–1693). Das zieht dir die Schuhe aus.

– Man könnte dies sogar als Muzak im Flughafen spielen, es würde keiner merken.

– Erzähl mir nichts von Afrika, sagte Detroy.

Er war ziemlich angewidert. Aber was sollte er machen. Sie liebte diese Musik. Und er liebte sie.

– Sowieso, sagte er. Barockmusik, das ist das letzte. Das allerletzte. Besonders die deutsche. Ist dir das eigentlich klar, daß die ganzen Leute das nur hören, weil sie denken, daß sie Kultur hören, ohne überhaupt etwas zu hören, weil sie sicher sind, daß sie Kultur hören???

– Stimmt, sagte Aschröter. Kagel hat im Beethovenjahr ein, wenn ich mich nicht irre, dreijähriges totales Aufführungsverbot für alle Beethoven-Stücke in sämtlichen privaten und öffentlich-rechtlichen Anstalten gefordert. Hat leider nicht geklappt.

Detroy erwärmte sich an seinem Gegenstand.

– Du mußt dir das mal vor Augen führen, die Deutschen waren alle besoffen damals, jedenfalls im Frühbarock. Da hat jeder Erwachsene täglich anderthalb Liter Wein getrunken, von der Biersuppe, die laufend ausgeteilt wurde, ganz zu schweigen. Ich sag dir was, im Frühbarock, da warst du schon nachmittags breit, mein Lieber. Und was da für Musik bei rausgekommen ist, kannst du dir ja vorstellen. Ach, das liegt ja auf der Hand, wir hören es gerade. Ganz Europa hat über die Deutschen gelacht. Ihre Rache war die Allemande, jeder tumbe Bauerntanz, der mit den Gummistiefeln nicht vom Boden hochkam, war eine Allemande. Das treibt dir die Schamröte ins Gesicht. Echt! Tumbe besoffene Bauern, die da auf dem Grund rumgetanzt sind, was sag ich, getorkelt, so stellte sich das Bild der Deutschen in Europa dar. Und dann diese blind-wütige Verzierungsrhetorik, selbst Bach war nur ein Braunbiertrinker in dieser Hinsicht. Ich will dir mal was erzählen, als sie die deutschen Landsknechte nach Italien geholt hatten, da gab es einen Aufschrei im Lande. Ein Denker der Zeit formulierte, hoffentlich werden wir vor allen Übeln, die von nördlich der Alpen kommen, von der Trunksucht verschont. Weißt du, warum die deutschen Soldner damals schon um acht im Bett sein mußten? Weil sie sonst nur noch besoffen durch die Gegend getorkelt wären, Händel suchend.

— Man darf bloß nicht den Fehler machen, das als Geschichte abzutun, sagte Aschröter. Und ich spreche nicht von Mainz. Eine Million Alkoholiker fährt Auto auf deutschen Straßen, stell dir das mal vor. Jeder achte normale Fahrer glaubt, mit zehn kleinen Glas Bier nch fahrtüchtig zu sein. Und ich möchte nicht wissen, was die übrigen sieben glauben.

Aschröter machte sich noch eine Flasche Bier auf.

Das Thema verließ sie. Sie sanken wieder in ihre Gedanken ab. Aschröter sah die blaue Wand an und dachte an

Fräulein Kornrade. Für einen Moment drängte sich ihm die Vorstellung auf, wie es wäre, mit ihr in Griechenland zu sein. Aber nur kurz. Dazu war er einfach noch nicht wieder in der Lage. Da war noch einiges zu verarbeiten. Es war ein Fiasko gewesen. Machte er es sich zu einfach, wenn er sagte, daß sie alles genommen hatte und nichts gegeben? Er hätte so etwas vorher nicht für möglich gehalten. Natürlich hatte er Egozentrik schon in den verschiedensten Ausprägungen kennengelernt. Aber dies hatte alle Vorstellungen und Erwartungen übertroffen. Als sie angefangen hatte, seine Ideen und Gedanken für ihre eigenen auszugeben, war bei ihm das Licht ausgegangen. Ein Energie-Vampyr! Er hatte jedenfalls nicht die Absicht, mit einer solchen Dame seinen Lebensabend zu verbringen. Lebensabend? Jetzt wird der Hund in der Pfanne verrückt! So weit war er also schon, so weit war es mit ihm gekommen, daß er die Vokabel *Lebensabend* in seinen Vorstellungen auftauchen sah. Aschröter schüttelte sich.

— Was is' los?

— Ach, nichts.

Wie war es möglich gewesen, daß er sich so hatte verlieren können? Hatte er die ganze Zeit geträumt und gar nicht gemerkt, wie sie ihn aussaugte? Es war ein Machtkampf gewesen, das war klar, und seine Unfähigkeit zu kämpfen hatte es ihr leicht gemacht. Er war ein Schwächling gewesen. Aber er wollte nicht kämpfen, verdammt noch mal! Jedenfalls nicht mit der Frau, die er liebte. Aber vielleicht bewegte er sich mit diesen Vorstellungen auch schon außerhalb der gegebenen biologischen Gesetzmäßigkeiten. *Catch as catch can...*

Während Aschröter vor sich hinbrütete und die Musik nicht mehr hörte, türmte sich vor Detroy eine schwarze

Letternwand auf. Schwarz und unheildräuend machte sie sich bemerkbar und gab ihm nachdrücklich zu verstehen, daß er langsam abpfeifen mußte, alldieweil Mazurkski ihn am Arsch kriegen würde, wenn er dieses Mal wieder zu spät kam. Schwarz und unheildräuend. Eine Letternwand. Türmte sich auf.

– Ich muß los, sagte er.

– Du kannst ja nachher nochmal reinkommen, sagte Aschröter, erhob sich und ging rüber in seine Wohnung. Detroy zog sich die gelbe Jacke an, sprang die Treppe runter und schwang sich auf seine Karre.

Oh, Mistress mine, where are you roamin'…

VIII

Detroy radelte den Hellweg entlang, am *Sappho* vorbei oder *Sapfo:* wie es ausgesprochen werden müßte, dem Lesbentreff, den eine katholische Ex-Freundin zusammen mit ihrer Mutter gern frequentiert hatte, bog nach links, überquerte die Straße, nicht ohne Sorge, denn sein Rücklicht ging wieder nicht, und es gab immerhin Schweine unter den Autofahrern, die das ausnutzten, draufhielten und dann von dem schwerverletzten Radfahrer einen neunen Kühlergrill verlangten. Aber er kam ungeschoren rüber. Detroy warf einen Blick auf die Dugena-Uhr über dem Juweliergeschäft an der Ecke. Heute würde er fünf Minuten vor der Zeit da sein. Mazurkski hatte ihn seit einigen Tagen auf dem Kieker. Er schien sogar einen ziemlichen Pieck auf ihn zu haben. Oder hieß es Pick. Jedenfalls war er in Mazurkskis Hackordnung der Auserkorene. Natürlich mußte er sich einen Weißen aussuchen, sonst hätte man ihm Rassismus unterstellen können. Er hatte ihn gestern zum dritten Mal verwarnt, weil er zehn Minuten zu spät gekommen war, und das obwohl der Wagen vom Druckort im Sauerland wegen Glatteis eine halbe Stunde Verspätung hatte.

Detroy näherte sich dem Auslieferungslager. Von allen Seiten strömten Gelbjacken herbei, um die Zeitung von morgen unter die Leute zu bringen. Sie klumpten unter dem Torbogen des Lagers zusammen und trampelten von einem Fuß auf den anderen, um nicht anzufrieren.

— Na, Chef, sagte der Tamile, der alle mit Chef ansprach, als Detroy näher kam, was is' heute mit Hägar los?

— Hägar? sagte Detroy. Hägar kriegt 'n kalten Kopf, weil sein Helm zum Melken gebraucht wird.

— Helm? fragte der Tamile. Melken?

Detroy, der sein Fahrrad inzwischen an die Wand gestellt hatte, nahm seinen imaginären Helm ab, plazierte ihn unter das imaginäre Euter und begann an den imaginären Zitzen zu arbeiten.

— Ah, sagte der Tamile. Helm. Melken. Welche Tour du?

— Borsig-Platz.

— Oh, Scheise, sagte der Tamile und rieb sich die Wange, als wenn er eine gefangen hätte. Scheise! Scheise!

— Das kannst du laut sagen.

Das war natürlich klar, daß Mazurski ihm die schlimmste Tour verpaßt hatte. Detroy mußte unbedingt rüber, sich im Büro zeigen, sonst hatte alles keinen Zweck gehabt.

— Er schon nach dir gefragt. Ich sagen, noch vor Zeit.

Detroy legte mehrere verschiedene Bedeutungen in eine Handbewegung und ging rüber ins Büro.

— Nahmd, Herr Mazurski.

64

Mazurski war ein kleiner Fettsack im cholerischen Alter, der jede Wette eingegangen wäre, daß Detroy nur jedes zweite Plakat anhängte. Er kannte seine Pappenheimer. Ein Zeitungsverkäufer mußte schnell sein. Und dieser da war nicht schnell. Immer als letzter mit dem Zeitungspakken vom Hof. Er hatte schon mehrfach versucht, ihm das Ethos des Zeitungsverkäufers klarzumachen, nämlich, daß er die schnellebige Ware Information in die Welt hinaustrug, was eine hohe Verpflichtung in sich barg, weil nämlich sogar einen Salatkopf, den kannst du zwei Tage halten, aber bei dem, was du hier vertreibst, mußt du ein bißchen fixer sein, mein Junge. Das schien den Burschen völlig unbeeindruckt zu lassen. Ja, Herr Mazurski. Er hätte wahrscheinlich einen Infarkt gekriegt, wenn er gewußt hätte, wie Detroy sich über ihn abrollte. Mazurski wies Detroy eindringlichst an, alle Plakate, mit der Betonung auf alle, Herr Detroy, an den entsprechenden Plätzen anzubringen, und reichte Detroy den Packen mit Plakaten, auf denen stand: Falsches Bein amputiert. Es wird wärmer.
Der Lieferwagen war inzwischen auf den Hof gefahren, und die Gelbjacken stürzten sich wie die Piranhas darauf und rissen Brocken heraus. Detroy kriegte seinen Packen gerade wieder als letzter. Glück für Hildegard Grab: Sie kam aus dem Urlaub, als das Sportflugzeug auf ihr Haus stürzte. Er packte den Stapel in die Tasche und schwang sich aufs Rad. Die Rundschau von morgen war unterwegs!
Die Straßen waren leer. Es war zwar nicht mehr ganz so kalt, aber immer noch ungemütlich. Eine Frau mit Schador und Zigarette kam ihm auf dem Bürgersteig entgegen. Letzte Woche hatte Hägar, der Tamile, in seinem Revier gewildert.
Wenn jemand sagen, wollen kaufen, ich nicht nein sagen.

Helm. Melken. Helm. Melken. Helm. Melken.

Detroy hatte die erste Plakatstation erreicht. Der Kiosk war zwar schon seit Monaten dicht, aber Mazurski bestand darauf, daß er bestückte. Er riß Borussen im Aufwind ab und hängte Falsches Bein amputiert hin.

An der Ecke kam die erste Kneipe, *Zum Borsigplatz* (Inh.: Resi und Willi), in der er erst einmal eine Zeitung losgeworden war. Trübe Szene. Nur Triefaugen. Konnten schon nicht mehr lesen.

Herrchen und Frauchen saßen wieder in der Ecke unter der Lampe.

– Herr Klempner, mein Konto läuft über, las Herrchen zum xten Mal den Spruch von der Streichholzschachtel. Frauchen schrie Kakao vor Lachen. Dann kam einer rein. Was wollte der hier? Ach so, das war nur der Zeitungsverkäufer.

– Die Rundschau von morgen!

Frauchen ließ Herrchen abwinken. Was Detroy erwartet hatte. Die beiden Alkis kauften nie eine.

– Nee, sagte der Wirt, und damit war Detroy wieder draußen und hatte die erste Zeitung schon mal nicht verkauft. Die Zeitung kostete siebzig Pfennig. Aber meistens gaben die Leute eine Mark. Zwanzig Pfennig pro Zeitung mußte er an Mazurski abführen. Zwölf Mark betrug sein abendliches Fixum. Im Schnitt verkaufte er pro Abend ca. 12 Zeitungen, waren nochmal, mit Trinkgeldern, sagen wir zehn Mark. Damit belief sich sein Einkommen pro Tag auf zweiundzwanzig Mark, machte bei einer Sechstagewoche, am Sonntag kam die Zeitung ja nicht, d. h. er hatte Sonnabendabend frei, gottseidank, machte bei einer Sechstagewoche also über den Daumen 130 Mark, machte im Monat fünfhundertzwanzig De-eM,

Miete hundertneunzig, Strom, Wasser und so weiter. Wenn er nicht noch den Bläserchor der St. Josephs-Gemeinde unterrichtete für einen Fuffi im Monat, sähe er jedenfalls ziemlich alt aus.

Es hatte leicht zu nieseln angefangen, und Detroy hatte Schierigkeiten mit seiner Brille. Vor ihm lag der Borsig-Platz, eine Gruppe von grauen Flächen, ineinandergeschachtelt, mit verschlierenden Konturen. Detroy haßte es, wenn er nichts sehen konnte, aber hier war er froh, wenn er nicht mehr sah. Es war, als läge ein permanenter Schadzauber gegen den Leib in der Luft dieses Ortes. Detroy glaubte daran. Jeden Abend sah er Leute mit eingegipsten Armen, mit verbrühten Händen, mit Schnitt- und Schlagwunden, blauen Augen, zermatschten Knöcheln und Schorf im Gesicht. Sogar die Häuser sahen so aus, als wollten sie die Menschen einsaugen, das Beste ausschlurfen und den Rest wieder ausspucken. Nur diese Türmchen auf den zwölf grünen Säulen über dem Eckhaus mit der Deutschen Bank unten drin munterte ihn an manchen Tagen auf mit seiner verspielten Form, die überhaupt nicht hierhergehörte. Mist! Dieser Platz machte ihm einfach schlechte Laune. Das war alles. Er mußte sich in acht nehmen, damit anzufangen, irgendwie mit Beziehungswahn rumzumurksen. Das ging nicht gut los. Er würde sich ab sofort nicht mehr von kleinen Söllern und Erkern grüßen lassen!

Als er um den Platz rum war, war er sechs Zeitungen leichter. Die letzte hatte ein Taxifahrer genommen, der gerade seine Spätschicht angefangen hatte. Vor ihm lagen noch zwei Kioske, das *Tropamare* und *Onkel Vasilis*.

Die alte Frau im ersten Kiosk, der auch mit Plakat bestückt wurde, gab immer eine Mark und nahm keine Zeitung.

Das kannte sie schon alles, sagte sie jedesmal. Lauter dummes Zeug. Sie wollte nichts mehr davon wissen. Detroy las auch keine Zeitung. Er fand die Frau sympathisch. Manchmal las er eine Schlagzeile, das reichte ihm erstmal für eine Weile. Glück für Hildegard Grab: Sie kam aus dem Urlaub, als das Sportflugzeug auf ihr Haus stürzte.

Der Verkauf sah wieder mal ziemlich mau aus. Wenn er Mazurski erzählte, daß er nur acht oder neun Zeitungen verkauft hatte, wäre er den Job los, das war klar. Er mußte also in den sauren Apfel beißen und aus eigener Tasche zuschießen, um die Statistik zu fälschen. Er würde ihm zwei Mark zwanzig in den Rachen schmeißen, zusätzlich, und sagen, er habe neunzehn Exemplare verkauft. Das hatte er schon öfter so gemacht. Und er wollte jede Wette eingehen, daß die anderen Burschen das auch taten.

Was sollte man machen, wenn die Leute die Zeitung nicht wollten.

– Die Rundschau von morgen!

Aber der Knilch auf dem Bürgersteig war schon zu stier, hörte ihn gar nicht mehr. Hatte sowieso nicht so viel Zweck, sich mit Besoffenen abzugeben. Zwei von zwanzig gaben überhöhte Trinkgelder, aber der Rest hielt einen nur mit dummem Gequatsche auf, Qualität und Inhalt der angebotenen Ware betreffend. Detroy trat in die Pedale. In der Wirtschaft unter dem *Tropamare* wieder die übliche Leisetreterszene. D. h. er sah überhaupt niemanden, nur die Frau an der Garderobe, die ihm, wie jeden Abend, für siebzig Pfennig, abgezählt, die Zeitung abkaufte. Wer weiß, was die da machten. Es roch nach Ausschweifung und saurem Schweiß. Nackt beim Bowling oder so. Aber vielleicht bildete er sich das auch nur ein.

Bei *Onkel Vasilis* war es voll wie immer. Obwohl vor einigen Jahren mal das Gerücht umgegangen war, Onkel Vasilis habe Rattenschaschlik verkauft, hatte dies die Beliebtheit seines Restaurants eigenartigerweise nicht im mindesten beeinträchtigt. Vielleicht hatte er es einfach rausgehabt mit den Ratten, gute Würzmischung oder sowas. Onkel Vasilis sah aus wie Lyndon B. Johnson mit Matte, als dieser sich von den politischen Geschäften auf seine Farm zurückgezogen hatte, sagte Aschröter. Detroy kannte das Foto nicht, auf das sich Aschröter bezog. Onkel Vasilis jedenfalls, der Gyros-Guru mit den schneeweißen Haaren, schulterlang, hantierte mit gütigem Gesicht hinter seinem Tresen.

— Die Rundschau von morgen!

Ein Neger in Stammestracht oder jedenfalls in einem langen buntbedruckten Gewand, winkte Detroy und fragte:

— Wohnung heute?

Detroy nickte. Der Neger nahm eine.

— Hallo, Fonz, sagte Mutter.

Alfons the Fonz Detroy guckte, gewahrte Mutter an einem der Tische, knallte die Zeitungen in die Ecke und setzte sich dazu.

— Hallo, Jürgen.

Detroy bestellte erstmal ein Bier.

— Ich hab neulich was unheimlich Geiles von Beethoven gehört, sagte Jürgen.

— Was?

— Oh, wie das hieß, weiß ich nich' mehr

— Beethoven, sagte Detroy. Programmusiken für irgendwelche Gewitter über der Heide. Und dann diese Schlüsse, total degeneriert, der braucht ja das halbe Stück, um zum

69

Schluß zu kommen. Ich meine, guck mal, selbst Viadana, der von der Stange komponiert hat – ich meine nicht *La Padovana*, das ist etwas andcres – aber selbst bei den Stücken von der Stange legt der noch anständige Schlüsse hin, zwölf Töne, fertig ab.

Mutter merkte, daß er sich in eine verfängliche Situation gebracht hatte.

– Naja, sagte er. Eigentlich hab ich auch nur mit halbem Ohr zugehört. Doch das wollte ich gar nicht erzählen. N.N. ist wieder gesichtet worden.

N.N. war der Bruder einer Ex-Freundin von Detroy, den sie schon in der Schule den «schönen Bernhard» genannt hatten, und der versuchte, sich seines Wehrdienstes durch Fahnenflucht zu entziehen. Was ihn nicht hinderte, zu unvorhersehbaren Zeiten hier und da aufzutauchen, um seine noch vorhandene Existenz zu bekunden.

– Wo?

– Im *Cabaret Queue.*

– Echt? Der hat Nerven. Ich wundere mich, daß sie ihn noch nicht geschnappt haben.

Sie hechelten das alles nochmal durch.

– Ich muß weiter, sagte Detroy.

Er hängte die Zeitungstasche um und schob ab.

IX

Annette zog ein. Annette zog leise ein, ohne großes Hallo im Treppenhaus, ohne Gedröhn von schweren Möbelstükken, die über die Treppe in den dritten Stock gewuchtet wurden, ohne große Einweihungszeremonien, ohne Bohei.

Einmal sah Aschröter ein verkniffenes Paar in seinem Alter, das wortlos ein Schränkchen die Treppe hochtrug. Ihre Eltern, wie er tippte. Annette sah er nicht. Aber er konnte sie riechen. Sie machte nämlich, wie Detroy berichtete, eine Duftstofftherapie, um besser drauf zu kommen. Und so roch es, seit sie im Haus wohnte, schon vor den Wohnungstüren nach Lavendelöl, Hibiskusessenz und Mimosen. Diese drei Duftstoffkomponenten, die ihr nach eingehender Analyse von ihrer Therapeutin verordnet worden waren, hatten die Fähigkeit, ihre positiven Schwingungen zu stimulieren, ihre Lebensfreude zu steigern und beginnende Störungen im Psychobereich gar nicht erst aufkommen zu lassen. Wobei die Kombination dieser Duftstoffe durchaus etwas Besonderes war, weil, wie ihre Therapeutin gesagt hatte, so erzählte Detroy, Lavendel und Mimosen für ein provenzalisches Naturell standen und der Hibiskus eben genau diesen überraschenden und ungewöhnlichen Südsee-Touch mit hineinbrachte bzw. die Entsprechung zu dieser Temperaments- und Gefühlskomponente bildete.

Aschröters Neugier war geweckt.

– Riechen tut es ja nicht schlecht, sagte er.

Doch es sollten noch einige Tage vergehen, bevor Aschröter der Verbreiterin dieser Wohlgerüche leibhaftig begegnete. Und dann wurden sie beide von den Ereignissen überrollt, die mit den Vorbereitungen zu Detroys großer schon durch lange Ankündigungen legendärer Siebziger-Jahre-Party verbunden waren.

Aschröter brachte Detroy den Oolong-Spezial, den er für ihn mitbesorgt hatte.

– Wir können jetzt nicht in die Küche. Annette wäscht sich gerade.

Die angelehnte Küchentür ging einen Spalt auf, und der Kopf eines großen blonden Mädchens erschien.

– Hallo. Ich bin gleich so weit. Soll ich dir eine Leberwurstschnitte mitschmieren, Alfons?

– Äh, ja.

Sie verzogen sich in Detroys Zimmer.

Noch während sie sich über das erdige Aroma des Oolong-Tees verständigten, kam Annette herein, ein großes, schweres Mädchen in Jeans, mit einer weiten Bluse, die fast bis zu den Knien reichte. Sie kaute auf vollen Backen und schob sich, als sie im Zimmer war, schnell den Rest der ersten Scheibe in den Mund.

– Diese Leberwurst ist göttlich, sagte sie. Und wir werden nie auf sie zu verzichten brauchen, denn meine Oma arbeitet in Wambel in einer Schlachterei.

Sie biß noch einmal zierlich von der zweiten Stulle ab, ohne sich die Finger fettig zu machen, und reichte sie an Detroy weiter.

– Ihr seid ja beide eingeladen, sagte Detroy.

Das schaffte Gemeinsamkeit. Sie guckten sich an.

– So?

– Wozu?

Detroy hatte die Schnitte inzwischen abgelegt.

– Wir feiern die absolute Siebziger-Jahre-Party!!

– ??!

– 1987?

– Eben! Gerade drum. Das war doch so eine beknackte Zeit, die siebziger Jahre, das gibt es doch überhaupt nicht, ich könnte mich total abrollen, wenn ich nur daran denke. Herrje, was haben die Leute für einen Scheißkram am Körper getragen, Hosen mit Schlag und Plateausohlen und diese breiten psychedelischen Schlipse...

Detroy war völlig aus dem Häuschen.

Die Vehemenz seines Vortrags überrumpelte Aschröter derart, daß sie sogleich seine sämtlichen Erinnerungen an die siebziger Jahre total auslöschte. Hosen mit Schlag? Hatte er jemals Hosen mit Schlag getragen? Bellbottom trousers kannte er noch. Aber das war mindestens ein Modezyklus vorher gewesen.

– Ich weiß gar nicht, was ich in den Siebzigern angehabt hab, sagte Annette.

Sie mußte damals so um die elf gewesen sein.

– Irgendwas wirst du doch angehabt haben, sagte Detroy. Er war völlig hin von der Idee, diese Party zu feiern. Den ganzen *junk*, diesen ganzen unheimlichen *junk*, den mußte er sich unbedingt noch einmal ziehen. Unbedingt!

Aschröter schwante einiges. Er hatte da so seine Vorbehalte.

Annette zog die Augenbrauen hoch.

– Du spinnst ganz schön!

– Mir wäre es auch lieber, wenn ich qua Sonderregelung aus dem Kostümzwang befreit würde.

Detroy konnte sich nur vorstellen, daß die beiden nicht so richtig einstiegen, weil sie sich nicht vorstellen konnten, wie grell diese Party werden würde.

– Jetzt seid bloß keine Spielverderber! Ich laß mir bis Donnerstag sogar noch Koteletten stehen.

Tatsächlich bemerkte Aschröter erst jetzt, daß Detroy einige Teile seines Gesichts rasierklingenmäßig unbearbeitet gelassen hatte. Annette war inzwischen an der anderen Leberwurstschnitte angekommen und begann, sie zu verzehren.

Sie verblieben so, daß Detroy ihnen, falls sie nichts Entsprechendes in ihrem Fundus fänden, einen angemessenen outfit besorgen würde.

– Stell dir mal vor, sagte Detroy zu Annette, du in Krokopumps, als Aschröter die beiden verließ. Er rechnete damit, daß Detroy das Versprechen mit dem outfit vergessen würde.

Die Tage vergingen.

Es wurde wärmer.

Detroy hatte weniger Zeit, weil er seine Kumpels für die Siebziger-Jahre-Party klarmachen mußte, was so viel hieß wie teilweise größere Überzeugungsanstrengungen, um die Einstellung des einen oder anderen etwas positiver zu färben. Jedenfalls kam er nach den Zeitungen nicht mehr auf ein Bier vorbei, und Aschröter hatte das Projekt fast vergessen, als Detroy eines Nachmittags bei ihm klopfte. Sie hatten sich, ohne daß je darüber gesprochen worden war, angewöhnt, nicht zu klingeln, sondern zu klopfen, so daß der andere wußte, wer vor der Tür stand. Auch Kadur hielt sich an diese nichtkodifizierte Regel. Aber es war Detroy, der vor der Tür stand.

– Du kommst doch nachher.

– Wieso, was ist denn los?

– Mensch, heut' ist Donnerstag. Die Party!

– Ach, du Schande. Mußt du denn nicht zur Zeitung?

– Das hab ich doch erzählt, daß ich so'n Pannemann gefunden hab, der meine Tour mitmacht. Hast du was gefunden?

– Was gefunden?

– Um alles muß man sich selbst kümmern, sagte Detroy und drückte Aschröter ein Konfektionsteil in die Hand.

– Bis später dann! Du kannst auch jetzt schon kommen.

– Ich komm dann später, sagte Aschröter.

– Gut, sagte Detroy und verschwand in seiner Hütte.

Die Klamotte, die er in der Hand hielt, war ein Schlips,

den er gut und gerne auch als Lendenschurz tragen
konnte.

Was zum Teufel hatte er mit diesem Zeug zu tun? Ließ sich
das überhaupt binden? Er probierte es. Nach mehreren
Versuchen prangte ein faustgroßer Knoten vor seinem
Hals. Eine ziemlich große Faust. Wie sah er aus? Schwarze
Espadrillos – Chinaware natürlich, man kriegte nichts
anderes mehr – schwarze Socken, schwarze Hose, sein
Yves-Saint-Laurent-Hemd mit den feinen perforierten
blauen und roten Streifen auf weiß und die graue Woll-
jacke. Sein gewöhnlicher Kopf schwebte über dem Knoten
und diesem Latz, der in den unangenehmen Farben eines
beginnenden LSD-Trips schillerte. Total plem plem,
dachte Aschröter.

Nu konnte er auch gleich rübergehen.

Was er tat. Detroy hatte seine lebenden Füße in Schlan-
genlederstiefel gezwängt, trug eine enge Hose – Bund-
hosen hatten sie damals anscheinend noch nicht gekannt
–, die oben spannte und nach unten hin, wo die Stelzen
sich verjüngten, unheimlich weit wurde. Sein braun-
orange-grün-farbenes Hemd im Paisley-Muster war an der
Brust offen, auf der ein großes goldenes Kruzifix hing, das
er mit einem Goldkettchen an seinem Hals befestigt hatte.
Baumelte. Golden. Die Koteletten und der gezwirbelte
Kaiser Wilhelm kamen ziemlich grell.

– Rattenscharf, sagte Detroy.

Was hast du erwartet?

In der Küche hatten sich etliche maskierte Gestalten
eingefunden. Sie rollten sich erstmal total über Aschröters
Krawatte ab.

– Eh, Mann, wo hast du denn das geile Teil her?

Aschröter zeigte auf Detroy.

– Er hat mir seine Lieblingskrawatte geliehen.

– Was tiefenpsychologisch gesehen natürlich tief blicken läßt, sinnierte ein Medizinstudent mit einem Räuberhut. Er hatte einfach das Hutband abgerissen und sich die Krempe runtergeknüllt.

Ansonsten waren da, in der Reihenfolge der Sitzordnung: Lampe, ein Schlaks mit einem Vogelgesicht, der die längsten spitzen Schuhe trug, die Aschröter jemals gesehen hatte, was, wie Aschröter später feststellen sollte, zu seinem ganz normalen Outfit gehörte. Doch die Frage nach dem Waffenschein drängte sich auf. Die Schuhe lenkten Aschröter so ab, daß er gar nichts mehr mitkriegte und sich auf den Platz setzte, den Mutter sich reserviert hatte, der rumflippte und Platten auflegte, sich selbst zum Deejay ernannt hatte und gleichzeitig, während er nicht genau wußte, was er als nächstes auflegen sollte, das meiste waren Singles von Michael Holm, sein Kawumm suchte, um es endlich zu präparieren, damit die ganze Szene irgendwie bald mal für ihn ruhiger werden würde, aber das schien im Augenblick utopisch, denn er hatte nicht mal den Überblick, um für die nächste Platte zu sorgen.

– Musik! kam gebieterisch die Forderung aus der Runde.

– Ja ja, ich mach das schon, sagte er und kriegte endlich den *Säbeltanz* zu fassen, und ab ging die Post.

Aber wo war sein Kawumm? Verdammter Mist! Und das *dope*. Er hatte extra eine kleine Menge für diesen Abend aufgewahrt.

– In welcher Phase der Siebziger seid Ihr denn jetzt, fragte Aschröter. Dann wandte er sich an Detroy.

– Wir müssen unbedingt in den *Brennenden Säbel*, da spielt zur Zeit Ted Herold.

– Ted Herold?

Alle guckten wie die Autos. Nie gehört.

– Ein deutscher Rockstar der fünfziger Jahre.

– Sollten wir machen.

Das Mädchen, das mit dem Mediziner gekommen war, ließ sich nicht beeindrucken. Sie las in dem Siebziger-Jahre-Heftroman *Schwester Heikes großes Glück*, den Mutter mitgebracht hatte.

– Ich will jetzt Michael Holm hören!

– Wie hieß noch der Sänger, der damals den *Engel der Sehnsucht* losgelassen hatte, wo man nicht mehr wußte, ob man der Sänger, der Engel oder der Zuhörer war?

– Der Junge mit der Mundharmonika!

– Ein Bett im Kornfeld.

– Is' da noch Bier?

– Wenn ihr so weitermacht, nicht mehr lange.

Neue Gäste trafen ein.

– Es scheinen nicht allzu viel Damen an den siebziger Jahren teilgenommen zu haben.

– Du weißt doch, daß Annette Kursus hat.

Die Duftstofftherapie. Ach ja.

Der Dichter Markus Mancini, der einmal eine Schlägerei mit einem Schauspielschüler und Theaterblut auf dem Westenhellweg inszeniert hatte, trat mit seiner Freundin Semiramis auf.

Großes Hallo.

– Ich hab dir 'n frisches Löschblatt mitgebracht für die siebziger Jahre.

Sie kamen neben Aschröter zu sitzen.

– Ist der Ripper noch nicht da, fragte Mancini.

Detroy mußte etwas kleinlaut zugeben, daß der Ripper sich geweigert hatte, sich einer solchen masochistischen

77

Tortur, wie dieses Partyobjekt für ihn zu sein schien, zu unterziehen.

– Was sind denn für dich die siebziger Jahre gewesen, fragte Semiramis, die neben Aschröter saß.

Aschröter überlegte krampfhaft, was er Ätzendes zu den siebziger Jahren sagen konnte. Er hatte eine ganz gute Zeit gehabt, wenn er sich recht erinnerte. Ja, und sonst ...? Die Mode? Hatte ihn nie interessiert, er wußte, was er brauchte, und das war genug. Jetzt kamen sie ihm mit Hosen mit Schlag – war das nicht Ende der fünfziger gewesen, als er mit Gretenkorn von dessen Mutter in der Garage beim Rauchen erwischt worden war? Grete mit Posaune und er mit Gitarre hatten sie den *St. James Infirmary Blues* geübt. Gretenkorn war ab sofort der Umgang mit ihm untersagt worden – breite Krawatten und Schuhe mit Plateausohlen, war das der Schund, der die siebziger Jahre angefüllt hatte?

– Sag doch mal, hakte Semiramis nach.

Aschröter merkte, daß inzwischen alle darauf lauerten, daß er Entsprechendes von sich gab.

– Oh, sagte er und kratzte sich am Kopf.

– Also, das kommt natürlich immer darauf an, in welchen Kreisen man verkehrt hat. Ich in den siebziger Jahren ... Herrjeh, das war Großstadtatmosphäre. Nach den Hippies kam die große Stil-Ära. Die Frauen trugen Seidenblusen und Georgetteröcke, und Chanel Nummer 5 war noch nicht profaniert, das war noch etwas Besonderes.

War es für ihn auch geblieben. Aber wie sollte er das erklären.

– Und die Männer trugen frische weiße Hemden, natürlich ungebügelt, man trank Rotwein, rauchte Thai-sticks und wir hatten gerade das französische Chanson wiederentdeckt, also nach meiner bescheidenen Intervention, will damit sagen, ich war schon früher drauf. In die Piaf hab ich mich verliebt, da war ich dreizehn, also neben Conny Froboess, Peter Kraus, nee, bei den beiden war ich elf, die erschienen schon als dunkler Punkt in meiner bescheidenen Vergangenheit, und die Everly Brothers natürlich...

— Mutter, mach mal Musik!

Mancini erklärte seiner türkischen Freundin, daß Georgette nichts mit Schnurrbart zu tun hatte. Mutter legte eine LP von einer Gruppe auf, die in den siebziger Jahren als Sechzehnjährige unheimlich abgesahnt hatten, was die meisten kannten.

— Aahh!!

— Ist das Teenie-Pop?

— Und dann? fragte Semiramis.

— Ich bin wahrscheinlich der einzige, sagte Aschröter, nachdem er Mutter Kawumm, das nun endlich herumging, nicht allzu bescheiden gemolken hatte, der bemerkt hat, daß sich die Stimmlagen von Bob Dylan und Edith Piaf in manchen Songs unheimlich ähneln.

— Wer ist diese Frau?

— Oh, eine Sängerin. Ich will dir sagen, wie ich es entdeckt habe. Es war folgendermaßen, es war eigentlich schon nach meiner Zeit, da kam dieser Film von Sam Peckinpah raus *Pat Garrett jagt Billy the Kid*, mit Coburn, glaube ich, und diesem abgebrochenen Folksinger Kristofferson und in einer Nebenrolle Bob Dylan, Ja. Und da gab es ein kleines Filmkunstkino in Wandsbek, ein Vorort von Hamburg, ein unheimlicher Trip da raus, aber ich unternahm ihn, allein, um diesen Film zu sehen, und ich war der einzige Zuschauer im Kino und, wie ich als Kind immer gedacht hatte, hinter dem Vorhang sang Edith Piaf *Mon-*

sieur Ernest und solche Klamotten, alles Titel, die ich kannte und liebte und liebte wiederzuhören, und dann ohne Werbung kam der Vorspann des Films. Bob Dylan sang und ... es war die gleiche Stimme.

Es klingelte.

– Wie spät isses?

Es war noch früh.

– Wir ham kein Bier mehr.

Lampe und der Mediziner mit dem Räuberhut machten sich auf, Bier zu holen.

– Hallo, sagte Annette.

– Was bezweckt er eigentlich mit dieser Feier, fragte Mancini, der Aschröters Ausführungen mit großer Aufmerksamkeit gefolgt war.

Annette quetschte sich irgendwo in die Ecke.

Detroy war wieder bei seinem Lieblingsthema; Puritanismus und Katholizismus in der *upper middle class.* Aus den Elternhäusern seiner diversen Freundinnen empirisch belegt.

– Du machst dir keinen Begriff, sagte er, bei den Katholen geht alles, sogar Inzest, nur der Schein muß gewahrt bleiben, wenn der Schein gewahrt bleibt, ist alles drin. Mutter und Tochter teilen sich den Liebhaber und so fort. Die Mutter von Beate, du, die hat mich angemacht, als ihre Tochter mal kurz aus dem Zimmer war ... echt ätzend. Die Puritaner sind zwar auch locker drauf, aber sie würden nie was gegen ihre Überzeugung tun.

Aschröter fragte sich, ob Detroy wußte, in welchem Lager er stand. Mancini hatte sich die Jeans unten mit einer Schere zerschnitten, so eine Art dezenter Trapperlook.

– Naja, sagte Aschröter. Ich würde vermuten, daß er in eine entwicklungsbedingte zyklische Camp-Phase geraten ist.

– Meinen Sie wirklich?

Annette war ziemlich schlecht drauf. Ihr Duftstoff schlug auf sie zurück, und ansonsten roch sie nur Tabak, Bier und Knoblauch.

– Hör mal, Alfons, ich würde mich gern zurückziehen.

– Dieses Camp-Phänomen ist so eine Art vulgarisierter Dandyismus.

Mutter hatte ein neues Kawumm fertig.

– Jetzt geht es ab, sagte er und legte die CDU-Einspielung von Köppler for president auf.

– Laß doch den Scheiß!

– Wenn schon, denn schon.

– Wie kommen Sie darauf?

– Du kannst ja in meinem Bett schlafen.

– Das ist keine Erfindung von mir. Jedenfalls zur Hälfte.

– Du brauchst bloß die Klamotten vom Bett schmeißen.

– Die amerikanische Schriftstellerin Susan Sontag hat auf dieses Phänomen aufmerksam gemacht.

– Wann war das?

Hör mal, kannst du das nicht eben machen?

Angewidert sah Annette wie Mutters Kawumm rumging. Nahm dann aber doch einen Schluck mit.

– Bitte, sagte sie. Ich will hier raus.

– Stell dir das mal vor, sagte Mutter, ich komm raus, und sie haben an meine Fahrradlampe diesen Sticker angebracht, ich bin der Märchenprinz steht da drauf. Jetzt weiß ich nicht, was ich davon halten soll. Ich meine, meint die Frau das ernst, die das da angepinnt hat, oder is das nur so'n Kinderstreich. Seit Tagen laufe ich durch die Straßen und gucke, welche Frau könnte das gewesen sein.

– Ich denke, das war so gegen Mitte der sechziger Jahre.

– Ach.

– Ja ja, sagte das andere Mädchen zu Semiramis, das ist ganz billiger Schmierkäse, den sie mit Walnüssen veredelt haben.

– Mit Walnüssen?

– Sehr verehrte Anwesende, sagte Lampe, ich denke, es wird nun Zeit, daß wir auf die Zeit anstoßen, die uns dieses herrliche Fest überhaupt möglich gemacht hat.

– Wo ist Alfons denn?

– Der bringt seine Untermieterin ins Bett.

– Also, wie gesagt, ich gehe davon aus, daß es sich hierbei um eine soziologische Gesetzmäßigkeit handelt, daß die Gruppe der Anfang- bis Mittzwanziger, die etwas heller sind, noch einmal eine Abnabelungsphase von der in Haßliebe noch virulenten Teenagerzeit durchmachen muß. Dies natürlich nur als Unterphänomen, bei dem es zu den eingangs erwähnten campmäßigen geschmacklichen Verirrungen kommt als da sind Ergötzung am Vulgären und Ausflippen über Junk etc ... Die Wechselbeziehung zwischen Langeweile und Camp kann kaum überschätzt werden. Camp-Geschmack ist seinem Wesen nach nur denkbar in reichen Gesellschaften, in Gesellschaften oder Kreisen, die in der Lage sind, die Psychopathologie des Überflusses zu leben ...

– Sie meinen also, wenn ich Sie recht verstehe, sagte Mancini, daß dies kein spontaner Ausdruck eines natürlichen Bedürfnisses sei, sondern sozusagen Ausdruck und Folge der gesellschaftlichen Gegebenheiten ist. Wenn ich ihren Gedankengang weiterverfolge, sagte Mancini, der inzwischen Feuer gefangen hatte, dann könnte man sagen, daß die Grimasse des sogenannten Posthistorismus sozusagen die Totenmaske der spätkapitalistischen Gesellschaften ist.

– In etwa. Sie greifen leider etwas vor. Will damit sagen, daß ich es nicht bedaure, daß sie vorgreifen, sondern daß es leider noch nicht so weit ist. Ja.

X

Mijnher van der Bronck hatte ein markantes Gesicht, graumelierte Schläfen und diese unbezahlbare Ausstrahlung von Wohlwollen, die sich einstellt, wenn man über Geld nicht mehr zu sprechen braucht. Frisch rasiert und gut gelaunt kam er die Hoteltreppe herunter und machte sich keinerlei Gedanken über den weiteren Verlauf des Tages, denn er hatte alles fest im Griff. Mijnher van der Bronck war Generalbevollmächtigter der Firma MOLLUSK art enterprises inc,, Sitz Amsterdam.
So wie er in seinem maßgeschneiderten Nadelstreifen die Treppe herunterkam, mit dem Seidenschal im offenen Hemd, hätte niemand ihm angesehen, daß die Firma nur eine Briefkastenadresse war und er gar nicht Mijnher van der Bronck. Die Mittel allerdings, über die er verfügte, waren beträchtlich. Und insofern war es denn ja auch egal.
Jim van der Bronck, wie er sich zur Zeit nannte, war der *top executive* einer internationalen Bande von Kunsthändlern, Hehlern, Schmugglern und Antiquaren. Er besorgte jede Ware. Und ich sage jede, war sein Lieblingseinwurf an passender Stelle. Er könnte binnen einer Woche, vorausgesetzt die zur Verfügung gestellten Mittel deckten die Kosten, van Goghs *Brücke von Arles* besorgen. Ohne Schwierigkeiten. Aber, würde er dann, die

Hände ausbreitend, seinem schmunzelnden Gesprächspartner sagen, wer kauft schon so ein Bild...? Wenn so etwas verschwand, konnte man immer davon ausgehen, daß es sich um einen verdrchten Kunststudenten handelte oder um eine terroristische Gruppe, die die Vergangenheit eliminieren wollte. Wie war noch der Name des Burschen gewesen, der 1953 die *Venus* von Rodin aus dem Victoria und Albert Museum entwendet hatte, um mit ihr zu leben? – Alles Verrückte! Wer anfängt, ein Verhältnis zur Ware herzustellen, ist verloren. Das war sein Credo.

Mijnher van der Bronck organisierte Diebstähle von Kunstgegenständen jeder Art, er stellte – in seiner eigenen Redewendung – bereit. Und es gab so gut wie nichts, das er nicht bereitstellen konnte. Er war der beste in seinem Fach. Das war klar. Man wußte es. Man vertraute ihm. Er hatte Blankovollmacht.

Die Aufgabe, die ihn in diese trübe Stadt geführt hatte, war eher von geringerer Bedeutung, eine kleine Gefälligkeit, um die er von einem wichtigen Kunden im Namen eines anderen gebeten worden war. Er hatte es selber bisher immer für die Erfindung von Kriminalschriftstellern gehalten, daß DER Sammler existierte, der seinen linken Arm für ein Gemälde hergab. Doch der anonyme Auftraggeber wollte DIESES Bild! Um jeden Preis! Verrückt, wenn er bedachte, daß es gewissermaßen eine pathologische Erscheinung war, die ihn in diese Stadt gebracht hatte. Die unverständliche Gier eines alten Mannes nach bemalter Leinwand...

Als Ausländer hatte er natürlich ein feines Ohr für die Bedeutungsschwingungen der deutschen Sprache, hörte Nebenklänge und Konnotationskombinationen, die dem von Gewohnheit verstopften Ohr der *native speakers* völlig entgingen. Sprachen – das war eine unerläßliche Voraussetzung in seinem Fach, neben einem überdurchschnittlichen Organisationstalent, versteht sich. Unter *Dortmund* hatte er sich jedenfalls etwas Besonderes vorgestellt. Der *Mund dort* hatte ihm eine erotische Begegnung von einiger Raffinesse signalisiert. Na ja. Am Nachmittag würde er eine Taxe nach Düsseldorf nehmen und nach Zürich weiterfliegen.

– Mijnher van der Bronck, sagte die Rezeptionistin, als er auftauchte, für Sie! Und reichte ihm ein Briefkuvert.

Es war nicht so schwer, daß man darin Banknoten hätte vermuten können. Aber das tat Mijnher van der Bronck auch gar nicht. Elegant schlitzte er das Kuvert mit dem bereitliegenden Messingdolch auf und entfernte sich. Dabei entfaltete er den Briefbogen, um die kurze und sachliche Nachricht, die er erwartete, zu entziffern. Ein Lächeln huschte über seine Züge. Der deutsche Geschäftspartner war verläßlich wie immer. Gewissenhaft faltete er das Blatt wieder zusammen und steckte es in die Innentasche seiner eleganten Anzugjacke. Da er an einem Spiegel vorbeikam, warf er einen Blick hinein und war sehr zufrieden, mit dem, was er darin sah.

Die avisierte Kontaktperson würde in etwa einer Viertelstunde eintreffen. Eine Frau. Er wunderte sich. Aber das ging ihn nichts an, das war Sache des deutschen Geschäftspartners.

Mijnher van der Bronck, ein niederländisch stämmiger Geschäftsmann aus New York mit direkter Abstammungslinie von Peter Stuyvesant, dem Gründer der Stadt – ein gefälschter Stammbaum war der einzige Luxus, den er sich erlaubte – stieß die Glastür zum Hotelcafé auf. Der Raum war nur spärlich mit Spätfrühstückern besetzt, die dabei waren, vermittels eines heißen Getränkes ihr Aggressionspotential zu stimulieren. Uninteressante Figuren. Van der Bronck steuerte auf einen leeren Tisch am Fenster zu und setzte sich so, daß er die Straße überblicken konnte.

Da er seinem Geschäftspartner höchstes Vertrauen entgegenbrachte, machte er sich keine weiteren Gedanken.

Er studierte die Getränkekarte, bestellte ein Kännchen Oolong-Tee und einen angewärmten Reisschnaps, dessen Bereitstellung zunächst mit Schwierigkeiten verbunden zu sein schien.

Doch er erhielt das Gewünschte. Der Reisschnaps wurde in einem heißen, vom Wasserbad nassen Porzellanschälchen serviert. Er war lau. Keine Kultur, die deutschen. Kosmopolitische Nullen, obwohl sie wie die Verrückten Devisen durch die Welt streuten. Nach zweiundzwanzig Uhr schienen nur noch Betrunkene in den Straßen herumzutaumeln. Da konnte man nichts machen. Er widmete sich dem Oolong und beobachtete durch das Fenster die Frauen, die auf das Hotel zustrebten. Die Alte mit der Einkaufstasche und dem grünen Hütchen war es bestimmt nicht. Eine Taxe hielt vor dem Hoteleingang. Das Call-Girl, das ausstieg, warf sich den Pelz über, als wenn sie nichts darunter hätte. Van der Bronck konnte die Parfümwolke förmlich sehen. Die Morgenfeier für einen Spesenritter aus den oberen Etagen. Sie hatte einen interessant geschminkten Mund, üppige, volle Lippen, die sie leicht vulgär überkonturiert hatte.

Van der Bronck wurde unruhig. Er warf noch einen Blick aus dem Fenster. Weit hinten kam eine, die aussah wie ein Sack auf Stelzen. Zielstrebig erhob er sich und erreichte die Dame mit dem Mund in der Halle vor dem Fahrstuhl.

– Van der Bronck, sagte er und deutete lächelnd eine Verbeugung an. Ich würde mich glücklich schätzen, einen Abend in ihrer Gesellschaft verbringen zu dürfen.

Hoheitsvoll griff sie in ihr Täschchen und hielt ihm mit spitzen Fingern ein Kärtchen hin.

Mademoiselle Lyly. Telefonnummer.

Van der Bronck hatte gerade seinen Platz wieder erreicht, als der Sack auf Stelzen an seinen Tisch trat. Bei näherem Augenschein mußte er allerdings berichtigen. Sie war eine, wenn auch magere Schönheit im Art-Déco-Stil.

– Mihnher van der Bronck?

Er nickte.

Samantha von Reichenbach.

Er bat sie, Platz zu nehmen.

Sie bestellte einen café au lait, was auf das Vorhandensein einer gewissen Kaltblütigkeit schließen ließ.

Sie saßen sich gegenüber und taxierten sich unauffällig. Er kannte diesen Typ. Kunstgeschichte. Dissertation. Ein, zwei Jahre bei Sothebys in London oder Parke-Bernet in New York. Dann freischaffend und ein Lebensstil, der das ganze Vulgäre, Dumme und Lärmende der Welt von ihr fernhielt. Berührungsängste?

Sie würde bei dem Vorwurf wahrscheinlich gelächelt haben. Auch die Psychologie war vulgär und damit für sie nicht akzeptabel. Schicht um Schicht hatte sie Zonen von Ritualen und Gegenständen um sich aufgebaut, die sie unangreifbar machten. Ihr Lieblingsgefühl – die Verachtung. Er ging jede Wette ein, daß sie ihre romantischen Bedürfnisse bei süffigen italienischen Canzonen auslebte. Allein, mit einem Glas Armagnac. Er hatte diesen Typus von Frau nie leiden können. Eiskalte Aufsteigerinnen. Aber die besten Werkzeuge, die es gab. Man mußte sich ihrer nur zu bedienen wissen.

87

Sie beobachtete, wie er sie musterte. Sie kannte diesen Typ. Sie hatte nur Verachtung für diese schleimigen Kerle, die sich ihre Kultur mit Geld erkauften und kraft ihrer Beziehungen überall mit weißer Weste herauskamen. Verbrecher, die sich die Maske des geistreichen Bonvivants vorgebunden hatten und sich ihrer Macht und Bedeutung so sicher waren, daß sie sogar eine Präsidentschaftskandidatur mitfinanzieren würden. Ein Ekel. Aber sie mußte leben. Sie würde für ihn arbeiten.

Für Geld.

Van der Bronck operierte nach der Methode der Unübersichtlichkeit, d. h. daß er an der Durchführung einer Bereitstellung so viel Leute wie möglich beteiligte, nicht nur, um sich in der Wärme des Bewußtseins zu genießen, daß er Arbeitsplätze schaffte, sondern auch um die auszugebenden Informationseinheiten so gering wie möglich zu halten, so daß eine Rekonstruktion des Gesamtprojekts unmöglich wurde. Die Beschaffung eines gewünschten Gegenstandes ließ er von Fall zu Fall geeigneten Personen übertragen, um die Firma nicht zusätzlich mit krimineller Hypothek zu belasten. Er vermied es, mit Profis zu arbeiten. Jeder Profi hat seine Handschrift, und man war nicht daran interessiert, eine Spur von Handschriften zu legen. Und wenn er eigene Leute anlernte, war es bald dasselbe. Nein, zur Beschaffung der Ware beschäftigte er nur Gelegenheitstäter und jeweils nur ein Mal.

Unter Maßgabe dieser Überlegungen setzte er sie ins Bild.

– Also meine Aufgabe besteht darin, einen geeigneten Kandidaten mit entsprechender psychischer sowie ökonomischer Disposition zu finden, der die Kaltblütigkeit aufbringt, die Aufgabe fehlerlos zu bewältigen.

– So ist es.

– Gut.

– Wie lange werden Sie brauchen?

– Mindestens eine Woche, sagte sie zögernd.

– Sie haben drei. Wir treffen uns in drei Wochen zur gleichen Zeit hier. Dann legen Sie mir die persönlichen Daten des, er zögerte ein wenig, Kandidaten vor.

Van der Bronck nickte ihr lächelnd zu. Sie war entlassen. Sie erhob sich, nickte ebenfalls, ohne zu lächeln, und wandte sich zum Gehen.

– Und vergessen Sie nicht, sagte er, Sie haben bei Ihrer Expertise keinen Caravaggio vor sich, sondern einen lebenden Menschen. Auch bei einfacheren Dingen müssen wir exakt sein.

XI

Er kriegte es nicht auf die Reihe. Er kriegte es total nicht auf die Reihe. Er kriegte es ums Verrecken nicht auf die Reihe, was mit Annette los war. Annette zog aus. Nach vierzehn Tagen. Dabei war doch alles prima gewesen. Die Küche immer aufgeräumt. Sie hatte sogar das Klo gescheuert. Und jetzt zog sie aus. Weil sie nicht gut drauf war, sagte sie. Sie hatte schon mal Heroin gespritzt und hatte Angst, daß sie wieder draufkommt. Sie zieht in eine Therapie-WG. Es ist alles schon geregelt. Morgen holt sie ihre Sachen ab. Detroy kriegte es total nicht auf die Reihe. Auch die Gegend hatte sie zu sehr runtergezogen, sagte sie. Gestern hat sie den ganzen Tag im Bett gelegen und geheult. Das mit der Schule rafft sie im Moment auch nicht. Sie wollte die mittlere Reife nachmachen, aber im

89

Augenblick war sie überhaupt nicht motiviert. Sie fühlt sich einfach unheimlich allein. Ihre Mutter hat sie wie ein Ding behandelt. Immer gepflegt, aber ohne Zuneigung. Und jetzt braucht sie viel Aufmerksamkeit. Jemanden, der sich um sie kümmert. Aber es ist keiner da. Und deshalb zieht sie erstmal in die Therapie-Wegee. Das Heroin hat sie sich damals durch dealen verdient. Dabei ist sie geschnappt worden. Und jetzt denken alle, sie sei kriminell. Sie ist im Moment so schlecht drauf, daß ihr alles egal ist. Und wenn sie sowieso aus dem Fenster springt, kann sie sich vorher ja auch noch ne gute Zeit machen. Deshalb hat sie Angst. Weil sie vielleicht wieder draufkommen könnte. Weil es greifbar nahe war, daß sie draufkam.

Detroy war fertig. Das hatte er doch alles nicht gewußt. Nur über ihre Duftstofftherapie hatte sie von ihren Problemen geredet. Aber dadurch war alles vernebelt. Warum mußte sie das tun? Sich in die Krallen dieser Hexe begeben. Die ganze Wohnung roch wie ein Puff, und laufen tat gar nichts. Außerdem konnte er sich nicht erinnern, ihr jemals etwas anderes als ein Zimmer zur Untermiete angeboten zu haben und gute Nachbarschaft. Er hatte sie einfach nett gefunden. Einfach nur nett! Und jetzt fing sie an und versuchte ihn schlecht draufzubringen, indem sie ihm Schuldgefühle unterzuschieben versuchte. Es war ja keiner da, der sich um sie gekümmert hatte. Wie lange würde dieser Lavendel-Hibiskusgeruch noch in den Räumen hängen? ... Das war wirklich ein starkes Stück. Aber was sollte er machen? Ihr von seiner Kindheit erzählen? Daß sein Alter ihn fast totgeprügelt hatte?

Aber davon mußte man sich befreien, wenn man ein Mensch werden wollte. Er war hundertprozentig davon überzeugt, daß es Mittel und Wege gab, um sich davon zu

befreien. Um aufrecht gehen zu können. Außerdem war
es noch die Frage, ob diese ganze vulgäre Psychologisiere-
rei nicht überhaupt auf den falschen Dampfer brachte.
Wäre ja immerhin möglich, daß die ganzen Depressionen
und Migränen nur aus einem Stoffwechselproblem ent-
standen. Irgendeine biochemische Fehlschaltung. Nicht
alle, zugegebenermaßen. Aschröter hatte dafür überhaupt kein Feeling. Die laborieren alle an ihrer Psyche
herum, sagte er nur abweisend, und dabei ist so schon
alles beschissen genug. Aschröter ging davon aus, daß
man mit seinen Macken leben mußte. Allerdings sollte
man sie kennen, damit man mit ihnen umgehen konnte.
Detroy hielt nichts davon. Er wollte den ganzen Mist
loswerden. Unbedingt. Und nun schickte sich seine Untermieterin an, ihm auch noch einen Berg Schuldgefühle
zurückzulassen. Er hielt es im Kopf nicht aus. Gerade war
er seit seinen letzten *shakes* ein bißchen besser drauf, da
passiert sowas.
– Junger Mann, hier können Sie ihr Fahrrad aber nicht
stehenlassen, sagte die alte Siebengel.
Detroy guckte sein Fahrrad an, das er an die Hinterhof-
mauer gestellt hatte, Detroy guckte die Siebengel an.
– Wieso?
– Die Fahrräder gehören in den Keller.
– Ich stelle mein Fahrrad immer hier im Hinterhof ab. Ich
brauche es nämlich abends noch.
– Ja, aber die Müllmänner müssen hier durch.
– Hier, sagte Detroy. Die gehn doch mit den Mülltonnen
da lang. Das steht doch überhaupt nicht im Wege.
– Es könnte schließlich gestohlen werden. Oder die Müll-
männer nehmen es mit.
– Ein angeschlossenes Fahrrad?

91

– Und daß sie die Tasche immer so drauflassen, mit den Zeitungen...

Detroy ließ sie stehen und ging ins Haus. Die Alte machte ihm schlechte Laune. Auf der Treppe kam ihm Kadur entgegen.

– Na, sagte er. Wie isses?

– Beschissen is' geprahlt.

– Na, na, sagte Kadur, als ich in deinem Alter war, haben wir immer reichlich Schpass gehabt.

– Annette zieht aus.

– Was? Die nette junge Frau, die bei dir wohnt und immer so gut riecht. Warum denn?

– Ihr ist das Klima hier nicht bekommen.

– Was du nicht sagst. Hör mal, übrigens, wenn jemand kommt und nach mir fragt, du hast mich nicht gesehen. Du weißt nicht, wo ich bin.

– Erwartest du jemanden?

– Nein, aber man weiß ja nie...

– Na, denn, sagte Detroy und ging die Treppe rauf.

Kadur ging die Treppe runter.

– Eh, rief er nach oben. Weißt du überhaupt, daß ich auch mal Musiker werden wollte.

– Echt? rief Detroy über das Treppengeländer runter.

– Ja. Ich war mit meinem Vater im Bandoneon-Orchester. Er wollte unbedingt, daß ich Musiker werde.

Detroy rief nichts, verharrte aber auf der Teppe.

– Aber mit dem Namen! rief Kadur rauf und ging weiter.

Er öffnete die Haustür und linste nach links und nach rechts. Die Luft war rein. Das Nibelungenlied kam ihm in den Kopf. Wer war es noch gewesen, der die Tarnkappe gehabt hatte? So unauffällig wie möglich bewegte er sich über den Bürgersteig.

Gottseidank begegneten ihm unterwegs keine Bekannten. Er haßte das, dieses Gefasel, wie geht's, wie geht's, nie würde man sagen, wie es einem wirklich ging. Das wäre ja noch schöner. Er ging durch den kleinen Park. Die Penner saßen wieder auf der Bank. Die Besoffene, die schon morgens immer an der Trinkhalle stand, warf ihrem Hund einen Knüppel. Er verachtete die Penner, weil sie sich so gehen ließen. Das konnte er sich als Vertreter nicht erlauben. Er mußte auf sich halten. Außerdem hatte er Zucker und konnte sowieso nichts trinken. Mit schnellen Schritten durchmaß er den Park, scherte hinten an der Kesselstraße aus – auf der anderen Seite des Parks war Fabrizio – kam an der Stehpizzeria vorbei, an dem Arbeiterhilfeladen, der nur Schrott im Schaufenster hatte, und erreichte die Schützenstraße. Er ging die Schützenstraße hoch in Richtung Innenstadt. Das große U von der Dortmunder Union-Brauerei ragte in den Himmel wie Unruhe, wie Unkenruf, wie Unzeit. Wolken zogen dahinter vorbei. Kadur wandte den Blick ab, denn dieser riesige Buchstabe machte ihm ein schlechtes Gefühl. Doch es war nicht zu vermeiden. Immer wieder streifte er dieses verdammte U. Es machte ihn unwohl, unfroh, unstet, es machte ihn unglücklich, dieses Scheiß U. Tausend Mark für eine Anti-U-Brille! Und jetzt noch zu TrUde. Jedesmal, wenn er ihren Namen sagen würde, käme ihm dieses U entgegen, hämisch, wie ein Zahn, der aus dem Gebiß fällt. Er tastete mit der ZUnge seine Prothese ab. Die LUcke war noch da. Gerade ihm mUßte das natÜrlich passieren. Immer ihm! Er beißt gerade in dieses Fischbrötchen, da ist da diese Endmoräne drin, kracks, und was bleibt ihm anders Übrig als seine NUmmer zweiUndzwanzig Unauffällig in die Serviette zU

93

spUcken und in der Tasche verschwinden zU lassen. Und TrUde ganz scheinheilig: Is was?

Mit UhU ankleben hat natÜrlich ÜberhaUpt keinen Sinn. Und wie sah er jetzt aUs! Aber das waren nicht die Probleme, die anstanden. Er hatte TrUde erzählt, daß seine erste FraU vor drei Jahren gestorben war, Um weichzumachen. Und jetzt hatte sie Wind gekriegt, daß seine Alte immer noch hinter ihm her war wegen ZahlUngen. Das war ein BrUch. Das VertraUen schmolz. Und trotzdem wollte sie mit ihm in UrlaUb. Er hatte herUmgeredet, aber sie wUßte, daß er kein Geld hatte, Und hatte ihm angeboten, ihn einzUladen. Sie hatte ihn eingeladen. Aber das konnte er Unter keinen Umständen mit seiner WÜrde vereinbaren. Er konnte sich vorstellen, wie es laUfen wÜrde: Sie mit diesen anderen alten FraUen Und er als maître de plaisir. Er sollte den aUsgehaltenen Liebesbello machen. Ihr Bimbo! Das kam Überhaupt nicht in Frage. Unter keinen Umständen. Und das mUßte er ihr jetzt verklickern. Unbedingt.

KadUr entschloß sich, noch ein bißchen rUmzUgehen und die Angebote zU stUdieren. Mal sehen, ob die billigen Batterien wieder im Angebot waren. Vielleicht konnte er die Batterien dem Nachbarn verkaUfen. Aber der hörte aUf Netz. Auf jeden Fall könnte er nochmal bei Fabrizio vorbeigehen. Später. Er mUßte sich erstmal berUhigen...

– Gleimt die Alte mich da voll, du!

Gleim! durchfuhr es Aschröter, war er wirklich so schlimm gewesen? Ludwig Gleim, Spezialist für Bukolika und Anakreontismen Wie selig ist, wer ohne Sorgen sein väterliches Erbe pflügt! Die Sonne lächelt jeden Morgen den Rasen an, auf dem er liegt!

– Was hat die Alte sich denn darum zu kümmern, wo du dein Rad abstellst?

– Sie sagt, die Fahrräder müssen in den Keller gestellt werden. Das war letzten Endes exakt seine Situation. Nur die Seligkeit wollte sich nicht einstellen, denn mit der ungestörten Ruh' war es schon lange aus.

– Wieso das denn? Der Hof ist doch für alle da. Ist ein Fahrrad geringer als eine Mülltonne?

– Eher weniger geringer. Es könnte geklaut werden.

– Das ist doch dein Bier.

– Eben.

Als Detroy noch Schüler war und zu Hause wohnte, hatte er einmal ein begehrliches Auge auf ein an einem Laternenpfahl angekettetes stabiles Tourenrad geworfen. Wobei er sich jetzt nicht mehr sicher war, ob er immer zur selben Tageszeit vorbeigekommen war, jedenfalls hatte er seinem Vater erzählt, daß da schon seit einem halben Jahr ein Fahrrad an den Laternenmast gekettet stand, und sie waren mit der großen Schneidezange losgegangen.

– Sollen wir was zusammen kochen?

– Keine Lust, sagte Aschröter. Laß uns doch zu Fabrizio gehen.

– Annette zieht aus.

– Warum?

Detroy erzählte ihm die ganze Kiste.

Bei Fabrizio war allerhand los

Die Noble vom Morgen war gerade dabei, Freddy mit Currywurst zu füttern.

– Daß er dir mal nicht zu scharf davon wird, sagte der Bierkutscher.

– Was verstehst du denn davon!

Hinten saßen der große Spender, die schönste Frau der Welt, der namenlose Philosoph und Kadur. Er machte ihnen gleich ein Zeichen, daß sie so tun sollten, als würden sie ihn nicht kennen.

— Was ärgert dich denn nun am meisten, fragte Aschröter. Daß du jetzt wieder die volle Miete zahlen mußt? Oder hattest du ein Auge auf sie geworfen?

— Nee, sagte Detroy. Überhaupt nicht. Am meisten ärgert mich, daß sie versucht, mir diese Schuldgefühle rüberzuschieben. Das ist perfide. Absolut perfide!

— Wieso glaubte sie denn, daß du dich um sie kümmern würdest?

— Keine Ahnung.

Manchmal hatte Aschröter das Gefühl, daß der nachwachsende Teil der Bevölkerung langsam durchdrehte. Daß die Alten meschugge waren, war klar. Aber die Jungen fingen auch schon an, komisch zu werden. Jeder wollte Aufmerksamkeit, Zuneigung und Verständnis, aber alle waren sie genervt von den Problemen der anderen. Diese Wurstigkeit des Genervtseins!

Während sie ihren Gedanken nachhingen, hörten sie plötzlich, wie Kadur zu ganz großer Form auflief. Der Spender hatte ein paar Asbach ausgetan, und die Stimmung war hervorragend.

— Dat wärmste Jäckchen is dat Konjäckchen, sagte die Noble vom Morgen, die sich auch dazu gesetzt hatte. Denn wo viere trinken, fällt für einen fünften auch noch was ab. Und Kadur nun, mit der ausholenden, getragenen Stimme eines Mannes, der von einer unerhörten Begebenheit zu berichten weiß:

— Ich bin neunundfünfzig. Das ist kein Alter für einen Mann, aber immerhin. Und immer allein geblieben. Immer. Das war ganz natürlich für mich. Ich konnte nie einen anderen Menschen um mich haben. Klar waren da Frauen. Aber in meine Wohnung, nee, nee, da kam keine rein. Naja, und in diesem Frühjahr, ich steh grade am Bügelbrett und bring meine Hemden auf Vordermann, da klingelt es. Nanu, denk ich, wer kann das sein? Denn um die Zeit, es war vormittags, habe ich überhaupt niemanden erwartet. Ich mach die Tür auf, und da stehen da zwei maskierte Frauen vor der Tür. War ja Karneval. Hatte ich ganz vergessen. Weiberfastnacht. Die eine ganz in schwarz als Kaugörl mit Zorromaske und die andere als Colombiene und beide zusammen so alt wie ich. Sie wollten mich abholen. Ja, aber, sag ich noch, da hakt mich die eine schon unter, ein Parfüm, sag ich euch, mir wurde ganz anders. Du brauchst dich nicht zu verkleiden, sagte die andere und nimmt mich an der anderen Seite, Jacke brauchte ich auch nicht, war ja mild. Der alten Siebengel sind fast die Augen rausgefallen, als ich mit meiner Eskorte die Treppe runterkomm. Da drückt mir die Colombiene im Gehen einen Dauerbrenner auf die Wange, ich spür ihre herrlichen weichen Brüste, und die Siebengel flieht mit einem Schrei die Treppe hinauf. Einen Flachmann mit lecker Likör hatten sie auch dabei, den wir tranken, während wir durch die Straßen gingen. Die Stadt hatte sich völlig verändert, überall standen Kulissen, und ich kannte mich gar nicht mehr aus. Und wie sie sich so an mich drücken, merk ich auf einmal, die haben ja beide keinen Büstenhalter um. Ich denk noch, so möchtest du abgeholt werden zum Sterben. Ich krieg das alles gar nicht mehr zeitlich in die Folge, kaum ist der Flachmann leer, taucht ein kleiner Negerjunge mit einem Silbertablett auf, auf dem ein voller liegt, verschwindet wieder in der Menge.

Das Kaugörl guckt mich nur aus ihren braunen Augen durch die Maske an, liebevoll und verschwörerisch, und die Colombiene flüstert mir mit feuchten, likörklebrigen Lippen ins Ohr, wir sind gleich da, da stehen wir schon vor dem Hauseingang. Kleine Freitreppe, weiße dorische Säulen, echt nachgebildet, und ein Treppenhaus, sag ich euch, überall Spiegel an der Wand, und ich seh mich mit diesen beiden herrlichen Geschöpfen, die Haare ein wenig zerzaust, aber sonst blühend, die mich zart und kräftig umfangen halten, und wie wir dann in die Wohnung reinkamen und was dann in der Wohnung alles geschah, ihr macht euch keine Vorstellung. Alles Samt und seidenweich. Zuerst haben sie mich gebadet und mit Rosenöl gesalbt, da verlor ich zum ersten Mal die Besinnung... Was?! Wie ich nach Hause gekommen bin? Frag mich nicht so was Schweres, Mensch! Irgendwann gingen die Lichter aus, ganz langsam, mit Dimmer, und als ich aufwach, lieg ich in meinem Bett...

XII

Es war wieder eins von diesen Jahren, in denen der Sommer auf einen Mittwoch fällt und die Zeit drumherum eher neutral erscheint. Es war regnerisch, kühl – ungemütlich, wie allgemein gesagt wurde –, und nur die Allergiker und Heuschnupfenanfälligen hatten Grund zur Freude, denn die Pflanzen schienen in der trüben Witterung eingeschlafen zu sein.

Natürlich hörte man häufig die Theorie, daß es nur deshalb so sei, weil die mit diesen Dingern da oben rumschossen.

Auch Kadur hatte sie Aschröter auf der Treppe vertraulich unterbreitet und von den Zeiten gesprochen, in denen die Sommer noch Sommer waren. Das waren noch Zeiten!
Alles in allem also trübe, mit ebensolchen Aussichten. Man kannte das. Und doch war etwas anderes in diesem Sommer. Das Wetter, seit Jahren unangefochtener Spitzenreiter in der Beliebtheitsliste der Gespächsthemen, hatte seinen Platz räumen müssen. Es waren nämlich Hunde verschwunden, kleine junge Hunde, fast noch Welpen. Hier und da waren plötzlich und unter ungeklärten Umständen junge Hunde verschwunden und nicht wieder aufgetaucht.
In den Geschäften hörte man, daß der kleine süße Hund von Frau Soundso spurlos verschwunden war. Der war so süß gewesen. Und jetzt war er weg. Und konnte sich doch überhaupt nicht zurechtfinden in der Welt.
– Ich kann mir gar nicht vorstellen, daß der weggelaufen ist!
– Wo sollte der denn hin?
– Der war doch noch sooo klein ...
Alte Frauen klebten mit zittriger Hand beschriftete Zettel an Bäume: Wer hat meinen Moppel gesehen? Schwarzweißer Junghund. Gegen Belohnung abzugeben bei ... Und auch in der Westfälischen Rundschau und anderen Blättern, deren Macher darüber natürlich hocherfreut waren, denn sie hatten SaureGurkenZeit, fand man Berichte und Geschichten über das spurlose Verschwinden der kleinen Lieblinge. Die Diskussion über die Tierversuche flackerte wieder auf, erbitterter denn je.
Kadur hatte auch dazu eine Theorie, die er Aschröter vertraulich mitteilte.
– Alles Quatsch, sagte er. Tierversuche! So blöd ist die

Pharmaindustrie auch nicht, daß sie auf solche Maßnahmen angewiesen wäre. Alten Omas ihre Hunde zu klauen! Die züchten sich doch ihre Tiere selber in großem Stil oder kaufen die bei Züchtern. Nee, nee, mein Lieber, da steckt was anderes dahinter. Schon mal was von Hundefressern gehört? Die Zigeuner, mein Lieber, ich sage dir, es sind die Zigeuner. Die lieben das! Frisches, junges Hundefleisch ... Ah!!

Er küßte seine Fingerspitzen.

Die sind ganz versessen drauf. Der Hund wird in Lehm eingepackt und ins Feuer geworfen. Wenn er gar ist, kloppen sie den Lehm mitm Hammer ab, das Fell bleibt dran hängen, und schon haben sie eine saftige Delikatesse vor sich.

— Ich glaub, du verwechselst da was, sagte Aschröter.

— Nee, nee, sagte Kadur. Erzähl mir nichts. Das sind die Zigeuner! Andernorts mutmaßte man anderes. In gewissen Kreisen wurde unter vorgehaltener Hand gemunkelt, daß es da eine Villa in Lücklemberg gab, wo im Keller Satansmessen zelebriert wurden, von einer okkulten Bruderschaft von glücklosen Geschäftsleuten, die vermittels magischer Praktiken ihre Bilanzen aufzumöbeln versuchten.

Das Trinken des Blutes eines jungen Hundes gehörte mit zum Beschwörungsritual. Detroy war der Meinung, daß es sich hierbei nur um Puritaner handeln könne, da die Katholen ja eh mit dem Teufel auf du und du standen. Er hatte von diesem Sektenbeauftragten gehört, den sie als undercover-agent eingeschleust hatten und den die Satanisten bei seiner Enttarnung im Verlauf eine schwarzen Messe so einschüchterten, daß er fortan nur noch in Gebeten sprach.

Aschröter hielt das nicht für unwahrscheinlich. Ansonsten aber kratzte ihn die Sache wenig. Die Pappeln hatten angefangen, ihre weißen Baumwollflöckchen durch die Luft zu schicken, wattige Flocken flogen in Schwaden durch die Luft, trieben durch Straßenzüge, schwebten um die Köpfe der Passanten und landeten, von sanften Windstößen getrieben, am Kantstein, wo sie sich sammelten, um seltsame Wattewehen zu bilden. Es sah aus wie Schnee. Und Aschröter hatte wieder den Summertime Blues.

– Das ist vielleicht eine Schweinerei, sagte die Frau in der Bäckerei. Wer soll das wieder wegmachen. Und ich mit meinem Heuschnupfen...

– Da hab ich keine Last mit, sagte Aschröter, während er kurz ihre geröteten Nasenlöcher fixierte. Bei ihm war es mehr die allgemeine Gemütsverfassung. Eine tiefe, gliederschwächende Melancholie, wie er vielleicht formuliert hätte, wenn er pathetisch mit sich umgegangen wäre. Doch das lehnte er ab. Er war eher geneigt, es für eine Stoffwechselgeschichte zu halten, eine innere Unausgewogenheit, vielleicht etwas mit der Galle, das seine Stimmung herunterzog. Es war nichts Eruptives, keine *shakes*, wie Detroy es nannte, eher ein gleichbleibendes Unbehagen, das seine Bewegungsmotivation lähmte, so daß er den lächerlichen Schuldgefühlen, die sich einstellten, weil er nichts tat, häufig nur durch Lektüre zu entkommen vermochte. Er fühlte sich wie ein introvertierter Reiher – von der Art, die stundenlang mit halbgeschlossenen Augen auf einem Bein stehen und von denen man nicht weiß, ob sie nach innen oder nach außen blicken. Immer häufiger fand er sich so auf seinem Balkon, wie er einfach regungslos dastand und das Leben im Hinterhof auf sich einwirken ließ. Baumwollflocken flogen langsam durch die Luft.

101

Aschröter stand auf Watte.

Pappel-Pappus. Pfefferpothast. Piff paff!

Aus dem Fenster der alten Bäckerei wuchs eine Birke, und Moose hatten sich auf dem schwarzen Teerdach breitgemacht und leuchteten nach dem leichten Regen wie das Meergrün bei Turner. Da war der Schornstein, ein Backsteinschlot, ein hohes Rohr mit sechsundzwanzig Steigbügeln für den Schornsteinfeger, oben ein gebogenes Stahlrohr, das in der Mitte durchgerostet war. Aber der Schornstein wurde schon lange nicht mehr gefegt, denn der Bäcker, der ein Kröskchen mit Frau Kranewasser gehabt hatte, was dazu führte, daß er ihr das Haus und die Bäckerei im Hinterhof vermachte, war längst tot. Drei Elstern flatterten in der Robinienkrone umher. Es war ein schwüler Nachmittag, die Luft stand zwischen den Häusern, und aus der geöffneten Balkontür der beiden Grufties im Nachbarhaus drang die finstere Stimme von Anne Clark.

Es sah nach Gewitter aus. Im Hof brachten die Amseln ihren Jungen das Fliegen bei. Eine Katze strich näher. Die plumpen Jungvögel sprangen auf, flatterten ein, zwei Meter und schlugen mit den Köpfen gegen die Mauer. Da! Die Amsel flog so dicht über das Katzenohr, daß die Katze den Flugwind spüren mußte.

– Cat-chaser! Cat-chaser! Cat-cat-cat-cat-cat-chaser!!!

Eine zweite Amsel näherte sich und flog die Katze an.

– Cat-chaser!

Die Katze suchte das Weite. Sie verschwand in dem zerbrochenen Kellerfenster und ließ sich nicht mehr blikken. Einer der Vögel setzte sich auf das rostige Treppengeländer und hielt Wache. Schimpfend.

Die Grufties hatten inzwischen *Siouxsie and the Banshees*

102

aufgelegt. Die eine junge Amsel kam immer noch nicht höher und knallte mit dem Kopf wieder und wieder gegen die Wand.

– Es wird Gewitter geben, sagte Zero.

– Na, hoffentlich, sagte Vero.

Die Gruftie-Zwillinge – beide in schwarz mit hennarotgefärbtem Stoppelschnitt und bleichen Gesichtern – waren dabei, ihr Picknick vorzubereiten, das langherbeigesehnte gotische Horror-Picknick, zu dem sie die Beleuchtung der Blitze brauchten. Vero füllte den Picknick-Korb mit gekochten Eiern, Sandwiches und Sanddornsaft, und Zero war dabei, den großen Regenschirm zu flicken, d. h. den Stoff an den Stellen, an denen er abgerissen war, wieder an die Speichen anzunähen.

– Von mir aus können wir, sagte Vero.

– Warte, sagte Zero, und biß den Faden ab, ich will das noch eben hören.

Sie hörten *You are lost, little girl* von *Siouxsie* noch zu Ende und machten sich auf den Weg. Die Luft hing immer noch schwer und feucht zwischen den Häusern. Die Leute hatten sich in Erwartung des dräuenden Unwetters in ihre Wohnungen verkrochen, auch natürlich, weil es in den Häusern kühler war als auf der Straße. Die Schwüle schlug ihnen wie eine Faust entgegen, als sie auf die Straße traten, und die T-shirts klebten sofort an der Haut. Drei Kirchen standen zur Auswahl. Die St. Joseph-Kirche in der Fußgängerzone der Münsterstraße, die durch ihre beige-rote Farbe eine fast orientalische Leichtigkeit hatte und schon wegen dieses freundlich verspielten Eindrucks ausschied. Die doofe langweilige Nikolaus-Kirche aus rotem Backstein an der Ecke Schützenstraße-Kirchenstraße kam sowieso nicht in Frage. Nein, sie brauchten bloß um die

Ecke zu gehen, denn die aus mächtigen Sandsteinquadern gebaute domähnliche Apostelkirche mit den neogotischen Fenstern und dem schwerfälligen Turm, der sich hervorragend vor einer von Blitzen zerrissenen Himmelskulisse machen würde, war genau das, was sie für ihr Picknick suchten.

Auf der anderen Seite der Lessingstraße, genau gegenüber von diesem mächtigen gotischen Brocken, schlugen sie ihr Lager auf.

Unter den Büschen in der Anlage, die zu den Reihenhäusern gehörte. Vero setzte sich auf die kleine Mauer, griff ein hartgekochtes Ei aus dem Korb und klopfte es gegen die Steine.

– Siehst du den fahlen gelben Schein, der von dem Sandstein ausgeht?

– Hm.

– Stell dir vor, sie hätten die Hand eines Bauarbeiters mit eingemauert und sie würde in dieser Nacht zum Leben erwachen.

Zero pellte ebenfalls ein gekochtes Ei ab.

Vero kaute auf vollen Backen.

– Äh!! Du bist vielleicht doof. Die Hand eines Bauarbeiters ... Sowas Triviales! Daß du aber auch immer mit dem kleinstmöglichen Einsatz einsteigst. Nee. Es ist die Hand eines Priesters, die zur Feier der Grundsteinlegung ein Mädchen unsittlich berührte, die da eingemauert ist.

– Im Kommunionkleid?

– Meinetwegen.

– Und jetzt darauf wartet, in diesem Gewitter von einem Blitz in die Kirchturmspitze erlöst zu werden.

– Erlöst? Die Hand?

– Naja, für den Rachefeldzug.

Während die beiden ihr Szenario entwickelten, in dem sich die Hand an allen Unterdrückern einer freien Sexualität rächen würde, und dabei den Picknick-Korb leerten, verfinsterte sich der Himmel, schwarze Wolken zogen auf, ein fernes Donnergrollen, und schon fielen schwere Tropfen klatschend auf das Pflaster. Vero spannte den Schirm auf, und die beiden begannen ihre Blicke auf die Kirche zu richten, von der jetzt noch stärker ein schweflig phosphoreszierendes Licht ausging. Der erste Blitz zuckte über den finsteren Himmel.

– Boh, sagte Vero.

– Einundzwanzig, zweiundzwanzig, dreiundzwanzig...

Der Donner brach los. Und dann kam es genau so, wie sie es sich vorgestellt hatten. Ein Sturm heulte auf und jagte Wolkenfetzen über den Himmel, wilde Blitze zuckten überall und hinterließen Nachbilder in der Luft.

– Da! sagte Vero.

Fast unmerklich schien sich eine der Rosetten im linken Turmfenster zu lösen, brach mit einem Klirren auf. Mit gräßlicher Langsamkeit kroch die blutige Hand daraus hervor und machte eine obszöne Geste zum Himmel. Ein elektrisches Feld baute sich um die Hand auf, und blaue Blitze zuckten in die Luft, von deren Enden kleine rotglühende Sterne abflogen, die auf dem Kirchplatz verpufften. Die Straßenbäume tanzten einen verbissenen Tanz. Diese Hand war gefährlich. Und Zero und Vero ruckten enger zusammen.

Dies war die Nacht, in der Melmoth der Wanderer durch die Nordstadt ging. Der Mann, der zum ewigen Leben verdammt war. Die Hand kletterte langsam an einer Zierleiste aus Sandstein herab.

– Hör auf, sagte Vero.

Nun hatte sie das Kirchenportal erreicht, sprang auf die Klinke und, patsch, landete sie auf dem Kirchenvorplatz.
— Jetz is aber genuch!
— Wir können ja Melmoth auftreten lassen, der die beiden unreinen Nonnen nicht ohne Hintergedanken von der Hand befreit.
— Ach, Quatsch!
Das Unwetter legte sich ebenso rasch wie es gekommen war. Die Bäume standen wieder still am Straßenrand, und das einzige, was sie hörten, war das Geräusch des Wassers, das am Rinnstein entlangschoß und glucksend in den Gullilöchern verschwand.
Ein junger Hund kam um die Ecke gerannt, ein Welpe fast noch, durchnäßt und völlig erschöpft. Mitten auf der Straßenkreuzung blieb er stehen und hechelte. Die Haare seines Fells lagen so dicht am Körper, daß sie seine Rippen sehen konnten. Vero wollte hoch, aber Zero hielt sie zurück. Langsam bog ein schwarzer Mercedes um die Ecke und stoppte dicht hinter dem kleinen Hund, der sich nicht von der Stelle rührte. Die Türen des Wagens öffneten sich. Drei Männer sprangen heraus. Sie trugen schwarze Kutten mit Kapuzen, in die nur Augen- und Nasenlöcher geschnitten waren. Einer der Männer ergriff den aufjaulenden Hund und hielt ihn vor sich in die Luft. Ein Blitz zuckte auf, und das Schwert trennte den Kopf des Hundes mit einem Schlag vom Rumpf. Der Kopf kollerte auf die Straße. Mit einem amphorenähnlichen Krug fing der dritte Mann den Blutstrom auf, der aus dem Hals schoß. Dann waren sie auch schon im Wagen verschwunden, der Mercedes fuhr an, fuhr in die Lessingstraße hinein, an den Mädchen vorbei und verschwand um die Ecke der Scharnhorststraße, Richtung Mallinckrodt. Dann war wieder alles still.

106

Als sie sich beruhigt hatten, gingen sie auf die Straße. Es war nichts zu sehen. Nicht einmal ein einziger Tropfen Blut.

XIII

Gerlinde Schwarz alias Samantha Reichenbach, zur Zeit *Schnuckchen* streifte sich die Gummihandschuhe ab. Sie hatte erstmal eine Grundreinigung in der Küche machen müssen, bevor sie anfangen konnte, Essen zu kochen. Der ganze Ofen war total verklebt und verkleistert. Ekelhaft! Genauso wie der Kerl. Drei Tage hatte sie gebraucht, um ihn weichzukriegen. Ein großer Junge, stolz auf seinen Posten als Generalbevollmächtigter der bundesrepublikanischen Zentraldatei, Abteilung Ruhrgebiet. Ein Dummkopf, der sich immer noch uneingeschränkt über die Möglichkeiten des Machbaren freute. Er hielt sich für einen Aufreißer. Seine Selbstgefälligkeit in Bezug auf seine Fähigkeiten als Liebhaber war grotesk. Und dabei sah er aus wie Schweinchen Schlau mit Brille. Sie hielt es nicht für unwahrscheinlich, daß er seine Position ausnutzte, um sich die Psychogramme labiler Frauen zu verschaffen, sich an sie heranzumachen und mit diesen vorausberechenbaren leichten Erfolgen sein Ego zu stabilisieren. Er war einer von den Typen, die morgens singend in die Küche kamen. Sie haßte es, wenn die Männer morgens singend in die Küche kamen. Aber als gewiefte Psychologin wußte sie natürlich, daß sie ihn schlecht drauf bringen würde, wenn sie ihm sagte, daß sie es für eine blöde verkrampfte Attitüde hielt, und nix mit *the sunny guy, the funny guy von nebenan.* Denn er würde ihr dann sofort beleidigt entgegenhalten, daß sie seine auf die Gesamtwelt ausgerichtete erotische Energie stranguliere oder so. Was sie nur mit einem Hohnlächeln quittieren könnte, usw. Nein, dieses Verhaltensmuster war um jeden Preis zu vermeiden. Sie mußte ihm das Gefühl geben, daß sie ihn bewunderte, daß sie dankbar war, bei so einem großen Mann die Küche sauber machen zu dürfen. Angewidert warf sie die Handschuhe in den Eimer und stellte ihn in die Besenkammer. Sogar ihre Lieblingslasagne war sie bereit für diesen Zweck zu profanieren. Sie würde versuchen, ihn so betrunken zu machen, daß sie danach nicht mehr mit ihm ins Bett zu steigen brauchte. Sie rief sich zur Ordnung. Bei einer schwierigen Aktion war nichts gefährlicher, als an das danach zu denken. Sie mußte das Ziel im Auge behalten.

Ganz vorsichtig hatte sich sich herangetastet. Was denn wohl mit dem Computer der Zentraldatei alles möglich sei.

– Mit Big Zim, hatte er geantwortet. Alles!

Sie hatte das natürlich in Zweifel gezogen.

– Schnuckchen, hatte er gesagt, du machst dir keine Vorstellungen, was heutzutage alles möglich ist...

Nachdem sein wissendes Lächeln abgetaut war, fing er mit leuchtenden Augen an, von den Fähigkeiten Big Zims zu schwärmen. Theoretisch. Natürlich nur theoretisch. Big Zim. Allein die Vulgarität dieser Abkürzung hatte ihr einen Brechreiz verursacht, den sie nur mit einem gekünstelten Lächeln zu überspielen vermochte.

Doch er war so am Schwärmen gewesen, daß er gar nichts mitkriegte.

– Und du meinst wirklich, daß...?

– Aber sicher. Big Zim kann dir sogar nach Eingabe der

108

Umstandsdaten die psychische Disposition eines gegebenen Individuums hochrechnen...

Und einige Runden später – sie meinte noch seine klebrigen Hände auf ihrem Rücken zu spüren – während sie seine Brust kraulte:

– Aber Liebling, das ist doch alles nur Theorie!

– HMMMMMM?

– Das ist theoretisch. Angenommen ich suche jetzt einen bestimmten Typus mit einer bestimmten Disposition, einen lebenden Menschen. Das würde doch nie klappen.

– Wetten daß!

– Also, ich denke mir jetzt mal was aus...

Und er hatte angebissen. Es sei zwar ein gefährliches Spiel, auch für ihn. Aber er würde es ihr beweisen.

Er war gerührt gewesen, als sie ihm nach der ersten Nacht vorschlug, in seiner Wohnung zu bleiben und auf ihn zu warten. Die großen Aufreißer. Die meisten wußten nicht einmal, daß sie davon träumten, ein Weibchen um sich zu haben, das ihnen die Bratkartoffeln briet. Jochen. Er glaubte wirklich, daß er unwiderstehlich war. Ein Traummann. Sie hatte es nie begriffen, wie Männer so dumm sein konnten, ihr Selbstbewußtsein aus ihrer beruflichen Qualifikation zu beziehen. Eindimensionale Idioten, die das heulende Elend kriegten, wenn man ihnen ihren Posten wegnahm. Das war der Weltuntergang.

Doch bei solchen Gedanken würde die Lasagne nicht gelingen. Gerlinde hörte auf zu denken und konzentrierte sich darauf, eine behagliche Atmosphäre herzustellen. Als Jochen kam, fand er einen herrlich gedeckten Tisch vor, auf dem brennende Kerzen standen, und der Geruch aus der Küche brachte seine Geschmackssinne zum Träumen. Im Hintergrund lief leise seine Lieblingsplatte.

To know you, is to love you, mit Linda Ronstadt, Emmylou Harris und Dolly Parton. Number One in Nashville. Er fühlte sich sauwohl. Schnuckchen hatte jedenfalls nicht viel Arbeit, ihn in Stimmung zu bringen, und da er sowieso kein anderes Gesprächsthema kannte, waren sie bald da, wo sie ihn hinhaben wollte.

– Also gibt es nun so einen Menschen, wie ich ihn mir ausgedacht habe oder nicht?

– Klar. Ich habe seine Karte mitgebracht. Ein Musikstudent, der Komponist werden will.

– Aus Dortmund?

– Wie du gesagt hast.

Und dann hatte sie die Karte in der Hand und prägte sich Namen und Adresse ein, ehe er sie verbrannte. Sie hatte schon jemanden im Auge, der Kontakt mit ihm aufnehmen könnte.

– Das hast du wunderbar gemacht, sagte Jochen und kratzte die Lasagneschüssel aus.

– Wenn die Wurst so dick ist wie das Brot, kann das Brot so dick sein, wie es will, sagte Kadur. Er saß bei Aschröter in der Küche und schob sich eine Salamistulle rein.

– Es ist alles Beschiß, sagte er auf vollen Backen kauend.

– Also ich mach bei diesem Preisausschreiben von der Kunstdüngerfabrik mit, erster Preis ein Kofferradio mit Kassettenrecorder und Stereo, ich gewinne, und was kriege ich? Ein schepperndes Plastikkästchen, mono, von Kassetten keine Spur! Kannst du nicht 'n kleines Badezimmerradio gebrauchen?

– Badezimmer ist gut, sagte Aschröter und zeigte gegen die Wand.

– Ach so, ja, du hast ja das Klo draußen. Naja, jedenfalls,

110

ich hab einen Kollegen, der hat mal bei Wim Thoelke gewonnen, und jetzt hat er gerade einen Haupttreffer in der Klassenlotterie, es ist unglaublich, der Kerl bescheißt sich im Schlaf auf gut deutsch. Ich gewinn ja auch überall, kein Preisrätsel, das ich nicht knacke, aber ich kriege nur Mist geschickt.

Es klingelt. Detroy stand mit Plastiktüte vor der Tür.

— Hallo, sagte er. Da hab ich ja zwei zu wenig mitgebracht.

— Ich trink sowieso nur eins, sagte Kadur und klopfte sich auf den Bauch, um zu verstehen zu geben, daß ihm zuviel Bier nicht gut bekam.

— Maximal-Zet, sagte Detroy, ein soft flash oder echtes?

— Echtes.

— Wenn schon, denn schon!

Detroy mußte erstmal ein Malzbier trinken. Er hatte nachher noch Probe.

— Was für 'ne Probe denn?

— Ich stelle gerade ein Programm für Gesang, Orgel und Cornett zusammen.

Aschröter wußte es schon. Detroy erhoffte sich wenigstens vier bis fünf Auftritte, um ein bißchen Kohle zu machen. Dann könnte er einen Ersatzmann für die Zeitung suchen und erstmal einen Monat aussetzen. Mit dem Ergebnis der Proben war er jedenfalls ziemlich zufrieden. Seine Mitarbeiter hatten eine, wie er sagte, rasche musikalische Auffassungsgabe, so daß er nicht allzuviel zu erklären brauchte. Das Programm stand. Sie waren jetzt nur noch am Ausgucken, welche beiden Stücke sie als Zugaben spielen sollten.

— Na, dann prost!

Sie tranken.

Oh, Death rock me asleep...

111

– Ich war vorhin auf'm Friedhof.

Kadur fühlte sich etwas unbehaglich.

– Was hast du denn da zu suchen?

– Bißchen spazierengehen. Schade, daß die Blätter noch alle dran sind. Herbststimmung auf dem Friedhof... das hat was...

– Ja, sagte Aschröter. Neblige Tage.... Blätter, die über die Gräber wehen...

– Abenddämmerung. Ein Krähenschwarm fällt in den Schlafbaum ein...

– Ihr habt sie wohl nicht mehr alle, sagte Kadur.

– Kennst du das nicht, die Melancholie eines Sonnen- untergangs in einem verlassenen Park?

– Moos auf den Grabkreuzen...

Kadur stand auf und trank schnell seine Flasche leer.

– Ich muß rüber, sagte er und verließ, ohne ein weiteres Wort abzuwarten, die Küche.

– Was hat er denn?

Aschröter hob die leeren, offenen Hände mit den Handtel- lern nach oben in die Luft und zuckte mit den Schultern.

– Laß uns doch noch mal diesen wahnsinnigen Falsettisten hören, wie hieß die Gruppe noch, du weißt schon, die Siouxsie-Nummer, der ist ja ungeheuer gut der Mann, ich kenne nur zwei wirklich gute Falsettisten, einer davon ist Randall Wong, aber wenn der Typ klassisch singen würde, wäre er der dritte.

Aschröter legte die *Sparks* auf.

This town ain't big enough for the both of us...

Detroy war guter Laune. Detroy hatte eine gute Laune wie schon lange nicht mehr. Ob es die Therapie war, die Pillen oder einfach eine günstige Sternenkonstellation, konnte er gar nicht genau sagen. Er hatte jedenfalls das Gefühl, als

112

wenn er alles reißen könnte. Absolut. Er überlegte, ob er vielleicht Münzen werfen sollte, um das I Ging zu befragen, oder er könnte sich ein Tarot von Lampe legen lassen, um sich größere Klarheit zu verschaffen.

— Warum willst du denn das Orakel befragen, wenn es dir gutgeht?

— Naja, ist doch prima, wenn man das alles noch mal bestätigt findet.

— Und wenn Lampe dir schlechte Karten zieht?

— Kann ja gar nicht sein.

— Laß mal das Orakel, und lies lieber Macchiavelli.

— Macchiavelli?

— Ja, lies die Abschnitte über die *virtù*.

— Tugend? Hat das was mit Tugend zu tun?

— Keineswegs. Die *virtù* ist eine geheimnisvolle Substanz, die in der Welt ist, mal hier, mal dort, wo sie auftaucht, gelingen die Unternehmungen. Es ist eine Art Kraft, die manchmal Völkern, manchmal Individuen zur Verfügung steht. Es ist eine Kraft, die da ist, die dich aber nicht einfach zum Agierenden macht. Du mußt sie greifen, bändigen, ihr Bewegung und Zielrichtung geben, dann kannst du Macht über ein Stück Welt gewinnen. *Virtù* ist nicht Tugend im moralischen Sinne, es ist das Plus an Lebenskraft und Energie, welches ein ohnedies starkes Wesen für seine Zwecke einzusetzen vermag.

— Also reines Machtstreben, sagte Detroy abfällig.

— Laß doch mal den moralischen Aspekt beiseite. Wie du deine Macht einsetzt und wofür, ist etwas anderes. Jeder Mensch braucht Willenskraft und Energie, um sein Leben zu meistern. Und wie vielen gelingt es?

— Und du meinst, wenn ich *virtù* habe, kann ich es schaffen.

– Wenn du *virtù* hast, kannst du alles reißen. Dann kannst du sogar einen Papst vergiften und trotzdem ein langes sicheres Leben in deiner Heimatstadt führen.

– Echt?

Er mußte das erstmal verdauen. Irgendwie machte ihm die Sache schlechte Laune. Das war anrüchig. Das war nicht clean.

– Is' da noch Bier?

– Nee.

Sie schwiegen eine Weile. Die Musik lief aus.

– Ich geh dann mal rüber.

– Hm.

XIV

Bei Fabrizio war Mittagsbetrieb. Ein Mädchen in Lederkleidung stand am Tresen und wartete auf Pommes, Zaziki und einen Spieß. Von ihrer linken Hand hing ein Sturzhelm herunter.

Zwei Kohlenfahrer mit schwarzen Gesichtern und schwarzen Händen saßen an einem der beiden Fenstertische und schoben sich schweigend Gyros mit Pommes rein. Hinten in der Ecke hingen die Stammgäste rum. Dino, die Noble vom Morgen mit ihrem Hund und der Sachse. Flaumbart war auch dabei. Der Fünfte war in diesem Etablissement als Philosoph bekannt. Die Männer befriedigten ihre oralen Bedürfnisse mit DAB aus Flaschen, die Frauen saßen vor Fabrizios neuester Schöpfung. Kirberg Royal. Orangennektar von Aldi mit Sekt und einem Schuß Bacardi. *Oh la la, Bacardi Rum . . .*

– Nee, sagte die Noble. Kein Stück. Meinen Freddy, den kriegen die nich. Nich, Freddy? Und stieß mit dem Fuß nach ihm. Der Hund, der unter dem Tisch gelegen hatte, kam blitzschnell hoch und schnappte nach ihrem Pantoffel.

– Der is schwer in Form, sagte der Sachse.

– Hallo, sagte Aschröter. Wie geht's?

– Ah! Ah!, sagte Fabrizio mißmutig. Es gibt Tage, das is als wennde Scheiße ande Hände hast, nä. Alles, wasde anfaßt, stinkt!

Er schüttelte die Pommes auf.

– Und?

– Das Übliche.

Fabrizio wußte, daß Aschröter die milde gewürzten weißen Bohnen in der roten Sauce schätzte. Eine große Portion für ihn, warm. Mit geschickten Bewegungen löffelte er, jeder Löffel voller sorgfältig ausgewählter Stücke, die Bohnen auf einen Teller und stellte ihn in den Mikrowellenerhitzer. Aschröter setzte sich an den zweiten Fenstertisch. Es klingelte. Die Pommes waren fertig. Er tropfte sie ab, gab sie auf das Blech und ging mit der Salzschütte drüber. Die Nummer mit der Kürbisrassel.

– Mit Majo, sagte das Mädchen.

Mit einem angedeuteten Nicken gab Fabrizio ihr zu verstehen, daß er die Bestellung registriert hatte, und schaufelte die Kartoffeln in den Pappbehälter. Es kam immer darauf an, großzügig draufzutun. Daß an der Seite wieder runterfiel, merkte sowieso keiner. Er plazierte den Spieß obendrauf, drückte mit eleganter Bewegung einen Strahl Mayonaise auf die goldgelben, herrlich duftenden patatas fritas, legte mit Schwung ein Blatt Butterbrotpapier drüber und packte ein. Den Zaziki hatte er in der Zwischenzeit fertiggemacht. Während die Geldtransaktion lief, ging die Tür auf und zwei Schuljungen kamen herein. Ein zarter zwölfjähriger Italiener mit schmalem Gesicht und großen dunklen Augen und ein hochgewachsener Deutscher mit Brille, der etwa fünfzehn sein mochte. Angelo, Fabrizios Neffe, kam nach der Schule mit seinem Nachhilfelehrer zum Mittagessen. Onkel Fabrizio war sichtlich erfreut.

– Angelo, mein Liebling, säuselte die Noble.

Der Junge lächelte höflich nach hinten durch und begrüßte seinen Onkel mit Handschlag. Auch der große Junge wurde von Fabrizio mit Handschlag begrüßt, wobei Fabrizio eine Miene machte, die besagen sollte, paß mir ja auf den Kleinen auf. Er stellte zwei Hocker an die Ablage, auf die er sonst das abgeräumte Geschirr setzte, und die beiden durften sich etwas aussuchen.

Während die Jungen überlegten, brachte er Aschröter die Bohnen.

– Er ist schlau, sagte er stolz und deutete mit dem Kopf auf seinen Neffen, aber er muß deutsch lernen, sonst nützt es nix.

Aschröter nickte. Während er die Bohnen aß, sah er am Rücken des einen Kohlefahrers vorbei, wie der andere mit der Gabel in der schwarzen Pranke seine letzten Pommes aufpickte. Seine Lippen waren jetzt ganz sauber.

Fabrizio machte den beiden Jungen das Essen fertig und redete italienisch mit seinem Neffen. Aschröter meinte einen besorgten Ton herauszuhören. Die beiden Kohlenfahrer legten ihr Geld auf den Tresen und zogen ab. Im Hintergrund führte der Sachse das große Wort.

– Wenn die mir meinen Hund, meinen Hund wegnehmen würden, da würde ich aber, nee, da würde ich zum Tier, aber hundertpro!

– Du hast doch gar keinen Hund!

Der Sachse griff sich etwas Luft und warf sie beiseite.

Aschröter guckte aus dem Fenster. Auf der Eingangsüberdachung des gegenüberliegenden Eckhauses wuchs eine kleine Birke.

– Wer weiß, was das für Schweine sind, sagte der Philosoph, der mit Nachnamen Tolke hieß.

– Ich find das unheimlich fies, alten Frauen die kleinen Hunde wegzunehmen.

– Meistens haben sie doch sowieso alte, sagte der Philosoph.

– Alte Hunde nehmen die doch nicht.

– Und wenn sie sterben, sagte die Noble. Der Gedanke war ihr unangenehm.

– Wenn man wüßte, wer es macht, sagte Flaumbart, dann könnte man ein paar Männer zusammentrommeln und ruckizucki. Die würden sich jedenfalls nicht mehr an unschuldigen Tieren vergreifen.

– Recht hast du.

Sie bestellten alle noch mal dasselbe.

– Bring mir mal 'n Bier mit, sagte Aschröter.

Es war ein ruhiger Tag. Die Straßenbäume warfen schon lange Schatten. Kinder spielten auf der Sonnenseite der Straße und der marokkanische Grünhöker richtete die Kohlköpfe in der Auslage. Also, er packte die gute Seite nach oben. Der griechische Gemüsehändler zwei Häuser weiter erhielt gerade einen Stapel Videos.

Ein Mann mit einem Regenschirm kam die Scharnhorststraße runter. Es war Kadur. Er steuerte Fabrizios Gyros Pizzeria an.

– Es ist nicht zu fassen, sagte er und ließ sich an Aschröters Tisch nieder. Er sah ziemlich angeschlagen aus, und

Aschröter glaubte unter der straffen Haut des kleinen Affenkopfes schon den Totenschädel grinsen zu sehen.

– Das hältst du im Kopf nicht aus, fügte er hinzu.

– Was ist passiert?

– Na, sagte Fabrizio, was soll's sein? Ein Gyros mit Pommes? Er wußte, daß Kadur das ganze ausländische Zeug verabscheute und nur Currywurst mit zu sich nahm.

– Mir is' heute nich so nach essen, sagte Kadur. Bring mir mal'n Bier.

– Nee, sagte er dann. Nee, nee, das gibt es nicht!

Er nahm erst mal einen kräftigen Schluck.

– Stell dir mal vor, mich hätten sie heute beinah als Geisel genommen!

– Wieso das denn?

– Oh, nee. Es ist unglaublich! Ich geh heute morgen zur Sozialfürsorge, und da steht so'n Knilch vor mir und versucht, seine Stütze mit der Gaspistole zu kassieren.

– Ja, und? Hat er sie gekriegt?

– Nee. Der Bursche hinterm Schalter hat einfach die Scheibe runtergezogen. Und plötzlich dreht der Kerl durch. Dreht sich um und hält mir die Knarre vor. Wie im Fernsehen, du. Linke Hand stützt rechten Unterarm, und das mit ner Gaspistole. Lächerlich. Ich reiß meine Aktentasche hoch und treff ihn mit der scharfen Kante an der Pulsader. Da ist ihm das Magazin rausgeflogen. Schepper, schepper liegt es auf dem Fußboden, und er guckt ganz blöd aus der Wäsche.

– Und dann?

– Dann haben ihn drei Kerle überwältigt.

– Was wollte er denn von dir?

– Keine Ahnung. Gerechtigkeit, hat er immer geschrien,

als die Kerle ihn in der Zange hatten, Gerechtigkeit für alle!

— Zwei Bier, ein Asbach und ein Grappa.

— Grappa, sagte Kadur. Wie kann man sowas bloß trinken.

— Nichts, sagte Tolke, der gerade die Ruhr-Nachrichten von gestern nach Meldungen über verschwundene Hunde durchforstete.

— Aber hier: Blutrache in Wambel. Im Kugelhagel einer Beretta brach gestern der neunundzwanzigjährige Luigi C. auf offener Straße zusammen. Bam, bam, bam, bam, er überflog den Artikel mit den Augen, die Polizei vermutet, daß es sich um eine Familienfehde handelt.

— Familienfehde. Ha, ha, sagte Flaumbart. Die Mafia, wer sonst? Er hielt den Daumen runter.

Was verstehst du denn davon, sagt Fabrizio scharf. Das ist Männersache!

Flaumbart hatte plötzlich den Eindruck, daß es nicht sinnvoll sei, das Thema weiter zu vertiefen.

— Naja, sagte er. Vielleicht auch nicht.

— Fabrizio, sagte die Noble, dein Kierberch Rojahl is ne Wucht!

Vor allen Dingen das mit dem Baccardi.

Die Tür ging auf. Ein Mann im Trainingsanzug kam rein und sagte:

— Mahlzeit!

— Und sonst, fragte Kadur.

— Naja, sagte Schröter, du weißt ja, wie es ist...

Mit gegenläufigen Schulter- und Beinbewegungen kam ein Mensch die Scharnhorststraße runter. Es sah aus, als ob er ruderte. Sein Kopf zuckte wie der Kopf eines nervösen Vogels auf dem Hals. Aschröter hatte den Burschen schon einmal gesehen. Jetzt erinnerte er sich. Auf der Party hatte

119

er die Haare mit Brilcreme ganz glatt nach hinten ge-
kämmt. Wieso eigentlich Brilcreme, dachte Aschröter. Der
Mann war Mutter.

Er öffnete die Tür des Restaurants auf eine Weise, wie
Aschröter und Kadur es noch nie gesehen hatten.

– Tag, sagte er und sah sich mit ruckendem Kopf um.
Sofort hatte er Aschröter erspäht und kam mit raschen
unkoordinierten Bewegungen auf ihn zu.

– Hallo, sagte er hektisch. Is' Alfons hier? Ich muß ihn
unbedingt sprechen?
Das Telefon klingelte. Mutter zuckte zusammen. Fabrizio
ging ran.

– Ich seh ihn nicht, sagte Kadur.

– Wieso, ist irgendwas?

– Nee, sagte Mutter und machte sich grußlos davon, wobei
er die Tür wieder auf diese eigenwillige Art öffnete,
allerdings diesmal rückläufig.

– Was war das denn für einer?

– Einer von Alfons' Kumpeln.
Kadur schüttelte den Kopf.

– Wenn der nichts genommen hat, freß ich meinen Hut.
Das lautstarke Parlando von Fabrizio war verebbt. Bleich
stand er am Telefon und sagt nur noch, sä, sä, sä. Dann
pfefferte er den Hörer auf die Gabel und rief nach Dino.

– Was ist denn?

– Du mußt mich mal ne halbe Stunde vertreten. Ich muß
weg.

– Aber ich kann doch gar nichts kochen!

– Ich auch nicht!
Und schon war er aus der Tür. In schwarzer Jacke, mit
steifem schwarzen Hut ging er schnell und ohne sich
umzusehen die Scharnhorststraße rauf.

120

XV

Es war eine Vollmondnacht. Mutter wälzte sich unruhig im Bett hin und her. Er hatte zu viele Pilze gegessen, und jetzt hörte der Scheiß nicht auf. Das Mondlicht fiel durch den halbherabgelassenen Bambusvorhang und warf seltsam zuckende Muster auf den Fußboden. Ein dünner Rauchfaden stieg von dem Abfallhaufen auf dem Küchentisch aus. Nadelfein, blau und dünn stieg er gerade hoch, um sich nach etwa einem halben Meter leicht in der Luft zu kräuseln. Das konnte doch nicht wahr sein. Und auch dieses Zucken auf dem Fußboden. Er mußte das irgendwie klarkriegen. Aber, Miot, wenn er sich auf eins konzentrierte, hatten die Sachen plötzlich eine Fratze und wenn er lockerließ, kam er in den Sog. *Im Wirbel des Mahlstroms.* Er durfte nicht dran denken. Leise und unscheinbar wie ein Gedanke kräuselte sich der Rauchfaden, der von dem Abfallhaufen aufstieg, der die Tischplatte bedeckte. Mutter hatte sich bisher um nichts gekümmert. Jeden Morgen schaufelte er sich eine Ecke frei, an der er sein Frühstück einnahm. Zwei Tassen Kaffee, eine Marmeladenschnitte und ein Joghurt. Die Joghurtbecher warf er immer obendrauf oder wenn Käserinde da war, altes Brot, Fischdosen, Wurstpellen, diverse ölige und fettige Verpackungsmaterialien, Kippen, immer drauf, immer drauf, immer drauf. Und jetzt stieg ein feiner Rauchfaden von dem Haufen auf, der auf dem Tisch lag, kräuselte sich leicht in der Luft. Mutter überlegte, ob sich durch den Fermentierungsprozeß vielleicht eine Wärme gebildet haben könnte, als er das

Geräusch vom Spülbecken hörte. Wie Echsenhaut, die an Untertassen reibt. Mutter sah zum Spülbecken rüber, in dem sich sein gesamtes Geschirr befand, nicht wenig, was er so aus dem Keller seiner Eltern abgezockt hatte, ungespült seit einem halben Jahr, genau seit der ersten Benutzung stand es im Spülbecken, ein ziemlicher Haufen. Hatte er sich bewegt eben? Wohl kaum. Mutters Mutter hatte ihm am Anfang angeboten, einmal in der Woche zu kommen und für ihn zu spülen. Das hatte er abgelehnt. Er hatte keine Lust drauf, daß sie in seinen Klamotten schnüffelte. Nach einiger Zeit hatte sie sich geweigert, die Dreckhöhle, wie sie sich ausdrückte, weiterhin zu betreten. So sah er sie jetzt wenigstens seltener. Irgendwann hatte sie ihm geraten, nur noch eine Tasse, einen Teller und ein Messer zu benutzen. Kein schlechter Tip. Aber er kam zu spät. Der Rest, nicht wenig wie gesagt, gammelte jedenfalls seit einem halben Jahr im Spülbecken. Da war das Geräusch wieder. Wie Schuppen gegen Porzellan. Der Haufen bewegte sich leicht. Mutter sah weg. Er konzentrierte sich auf das Lichtmuster auf dem Fußboden, das unter seinem Blick zu zucken begann. Mutter machte die Augen zu. Deutlich hörte er nun dieses Geräusch, als wenn sich ein Reptil durch das Geschirr schlängelte, ganz langsam, damit er es nicht merkte. Aber er hatte es bemerkt, verdammt nochmal! Es war alles schließlich nur in seiner Einbildung. Es kam alles nur von diesen verdammten Pilzen, die nicht aufhören wollten zu rumoren. Und wie sollte eine kleine Schlange, selbst eine ganz kleine, durch das Abflußrohr in seine Spüle finden... Außerdem klang es nach was Größerem, das war sicher. Plock! Ein kurzer Schlag auf sein Bein. Als wenn etwas von der Decke gefallen wäre. Mörtel. Oder ein Tier. Ein TIER!!! Fieberhaft suchte er die Bettdecke mit den Augen ab und wartete darauf, kleine elastische Beine mit Saugnäpfen (Scheiße, wieso Saugnäpfe?!) an den äußeren Begrenzungen seiner Extremitäten hochlaufen zu spüren. Ziemlich schnell. Seine Beinbehaarung sträubte sich. Scheiße! Scheiße! Scheiße! Hätte er sich bloß nicht so viel Stephen King reingezogen. Jetzt kam der ganze Mist wieder hoch. *Full Moon High. Ein Werwolf beißt sich durch.* Er betrachtete kurz die Behaarung seiner Handrücken.

Alles noch normal. Gottseidank!! Das Reptil in der Spüle bewegte sich jetzt mit größerer Kraft. Langsam rollte, rollte, Rollte? ROLLTE!! ein Joghurtbecher den Abhang des Abfallhaufens hinab. Mutter fragte sich kurz, wie ein Gegenstand ohne äußere physische Einwirkung in Bewegung geraten konnte. Mit einem lauten Krachen flog der ganze Geschirrhaufen auseinander. Doch was zum Vorschein kam, war kein Krokodil, sondern nur ein großer Topf. Da kam ein Topf durch, das war wirklich das Allerschärfste, ein ziemlich großer Topf, den Mutter noch nie gesehen hatte. Da kommt ein Kochtopf raus und guckt ihn an.

– Hallo, sagt der Topf zu Mutter. Mutter räuspert sich.

– Hallo!

– Kann ich mich einen Moment hier niederlassen?

– Aber klar doch!

Es sah jedenfalls nicht so aus, als sei ihm dieser Topf feindlich gesonnen. Immerhin, er war ziemlich groß, und Mutter hatte ihn noch nie gesehen, aber gefährlich oder feindlich wirkte er nicht.

– Ich bin ziemlich sicher, daß du noch nie in deinem Leben einen gefährlichen Topf gesehen hast, sagte der Topf.

– Würden Sie sagen, ich meine, kann man davon ausgehen, daß es überhaupt gefährliche Töpfe gibt?

123

– Denk doch mal nach, sagte der Topf.

Mutter dachte nach.

– Naja, sagte er, also irgendwie... klar, aber letzten Endes...? Ich meine sicher, metaphorisch gesprochen, wenn Sie verstehen, was ich meine, also früher gab es so Witze, wo Missionare in großen Töpfen gekocht wurden...

– Das waren noch Zeiten...

– Wieso? Haben Sie das etwa noch miterlebt?

– Oft.

Mutter standen die Haare zu Berge.

– Aber mal ehrlich, wie kommen Sie eigentlich hierher?

– Psychoenergetische Rüberbeatmung, sagte der Topf.

– Ach so.

– Aber diese Witze waren natürlich blöd.

– Saublöd!

– Es ist ja nie vorgekommen, daß ein Missionar noch aus mir rausguckte und womöglich Sprüche klopfte, während er warme Füße kriegte. Das kam so gut wie nie vor. Die wurden immer vorher geschlachtet und in ihre Einzelteile zerlegt.

Mutter wurde das blöde Gefühl nicht los, daß irgendwas mit dem Topf nicht stimmte.

– Wenn du glaubst, daß ich was vorhabe, bist du auf dem richtigen Dampfer, sagte der Kannibalenkessel, der jetzt groß und mächtig über dem Abfallhaufen schwebte, aus dem kleine Flammen züngelten. Verdammte Scheiße!

Mutter riß sich zusammen.

– Wenn du meinst, daß du hier so auf Projektion meiner Mutter machen kannst, die mich sozusagen wieder einverleiben will, um mich rückgängig zu machen, dann hast du dich aber geschnitten, sagte er.

124

– Ha ha, sagte der Topf und verschwand in der Luft. Auch das Feuer erlosch. Es knisterte nur noch leise. Mutter wischte sich den Schweiß von der Stirn. Mannhaft sprang er aus dem Bett und ging zur Spüle rüber. Es müffelte nur. Das war alles. Er griff sich ein Wasserglas, spülte es aus und füllte es mit Leitungswasser.

Da machst du was mit, dachte er. Dann stellte er sich ans Fenster hinter den Bambusvorhang, trank einen Schluck Wasser und guckte raus. Es war eine stille sternenklare Nacht. Die Schatten der Straßenbäume lagen dunkel und ruhig auf dem Pflaster. Und die lange Dächerreihe der parkenden Autos, die Stille der Straße beruhigte Mutters Nervensystem. Ein kleiner Hund, ein Bastard mit nach oben stehendem Ringelschwanz, lief zwischen den Autos herum, hielt an und pinkelte an einen Vorderreifen. Was machte der denn so spät noch draußen? Mutter hörte ein Geräusch, es kam näher, ein Auto, und dann bog auch schon eine große schwarze Mercedeslimousine um die Ecke und hielt direkt unter einer Straßenlampe, da wo er eben noch den kleinen Hund gesehen hatte. Im Licht der Straßenlaterne erkannte Mutter, daß der Wagen getönte Scheiben hatte. Drei Türen öffneten sich gleichzeitig, drei Männer sprangen heraus. Mutter biß sich auf den Knöchel. Alle drei trugen schwarze Kutten mit schwarzen Kapuzen, in die nur Löcher für Augen, Nase und Mund geschnitten waren. Einer der Männer hatte ein Schwert in der Hand, der zweite trug eine Amphore. Sie verständigten sich in Zeichensprache. Der mit dem Schwert machte eine herrische Bewegung. Sie gingen suchend um die Autos herum. Derjenige, der nichts in der Hand gehabt hatte, setzte sich vor einen Wagen in die Hocke und lockte mit vorgehaltener Hand. Wedelnd kam der kleine Hund unter dem

125

Wagen hervor. Der Mann packte ihn, rannte zu den anderen beiden und hielt den Hund weit von sich in die Luft. Mutter sah einen weißen Blitz zischen, der Hundekopf flog aufs Pflaster, das Blut, was aus dem Hundehals schoß, wurde von dem Mann mit der Amphore aufgefangen. Als nichts mehr kam, riß der, der den Hund gehalten hatte, eine Plastiktüte aus seiner Kutte, steckte den Hundekadaver hinein, riß den Kopf an einem Ohr hoch, tat ihn ebenfalls in die Tüte, die drei Männer sprangen ins Auto, und dann war nichts mehr zu sehen. Kein Hund, keine Männer, kein Auto. Mutter warf sich aufs Bett. Lieber Gott, laß es aufhören, ich mache alles, was du willst, ich wasche ab, ich räume auf, ich schneide mir eine Glatze, aber laß es aufhören, laß es endlich aufhören!!!

— Was ist denn mit dir los?
Mutter war am Schrubben und Scheuern. Er hatte den ganzen Mist in den Mülleimer geworfen, alles schon unten in der Tonne, der Tisch war so sauber, daß man davon hätte essen können, aber was das Schärfste war, Mutter hatte eine Glatze. Detroy guckte wie ein Auto und kratzte sich am Kopf.
  — Was ist denn mit dir los? fragte er noch einmal, da Jürgen nicht antwortete und seine Tätigkeit, der versifften Spüle eine gründliche Moc-Reinigung angedeihen zu lassen, auch nicht unterbrach.
— So 'ne Art Gelübde, sagte Mutter, ging mit dem feuchten Lappen nach und spiegelte sich versonnen in dem Glanz.
— Ach, nee.
Detroy setzte sich und zog eine zerknitterte Golden Gate Packung aus der Tasche.
— Krümel mir ja die Bude nich voll!

– Laß uns doch mal deine geile Zappa-Kassette hören.
– Zappa höre ich zur Zeit nicht mehr.
– Jetzt setz dich doch mal hin, und rauch eine mit.
– Na, gut. Ne Zigarettenpause ...
Er mußte noch die Spinnenweben abfegen, die Fenster
putzen und das Klo saubermachen, Klobecken, Spülstein,
Spiegel etc ...
Sie rauchten.
– Und, sagte Detroy.
Mutter merkte, daß er sich durch die ungewohnte körper-
liche Anstrengung den Nervenflip rausgeschwitzt hatte. Er
war lange nicht mehr so speedig drauf.
– Du siehst ja ziemlich schlecht aus, Alter.
– Na, ja, sagte Jürgen. Was soll ich dir viel erzählen. Ich
hatte Hallus von den Pilzen, und die hörten nicht auf. Erst
kam ein Kochpott und wollte mich in die Suppe holen, und
als ich denk, daß ich das Ding getackelt hab seh ich, wie sie
'm Hund 'n Kopp abgeschlagen haben.
– Echt?
– Geh mir vom Bette weg! Ich kann dir sagen Ich dachte,
ich werd nich wieder.
– Hier im Zimmer?
– Noe, draußn auf der Straße.
Erzähl.
– Also, ich steh am Fenster, gestern war Vollmond, und
guck mir den Mond an, der ganz ruhig da oben seine Bahn
zieht und sein kaltes Licht über die Dächer und in die
Straßen gießt, da seh ich auf einmal einen jungen Hund, so
'ne kleine, sandfarbene Straßenkötermischung, mit
Schwanz nach oben, hätte mir gefallen können. Als er
gerade den Hinterreifen eines Scorpio anpißt, kommt ein
Wagen die Straße runter, ganz langsam, ein schwarzer

127

Mercedes. Er hält auf der Höhe, wo der Hund eben noch war. Drei Männer springen raus. Sie scheinen etwas zu suchen...
– Waren sie maskiert?
– Ja. Wieso?
– Erzähl weiter.
– Sie trugen schwarze Kutten, mit Kapuzen, die übers Gesicht gingen, so Ku-Klux-Klan-Dinger, in schwarz. Ach so, der eine hatte ein Schwert dabei, und der andere trug einen Krug.
– Und der dritte?
– Der hatte 'ne Plastiktüte in der Kutte, aber so weit sind wir noch nicht. Na, jedenfalls, die gucken da zwischen den Autos rum, der eine geht in die Hocke und lockt so mit der ausgestreckten Hand, hören konnte ich nichts, und da kommt der kleine Hund unter dem Auto vor. Und dann gings rund. Der in der Hocke schnappt den Köter, kommt hoch, hält ihn mit ausgestreckten Armen von sich ab, das Schwert zischt durch die Luft, der Kopf fällt runter, der mit dem Krug springt bei und hält ihn unter den Blutstrom, der aus dem Hals kommt, schon haben sie die Teile in der Tüte, und weg sind sie. Ich kann dir sagen!
– Ja, Alter, das war Wirklichkeit.
– Wie?! Mutter standen die Haare zu Berge. Bist du bescheuert oder was is los?
– Hast du das nicht in der Zeitung gelesen?
– Ich les keine Zeitung.
– Hat schon ein paarmal in der Zeitung gestanden, daß laufend junge Hunde verschwinden.
– Na, und? Was hat das damit zu tun?
– Weißt du, was das eine Gruftie mir erzählt hat?
– Welches?

128

– Ich glaube Vero. Oder Zero.

– Nein.

– Die haben ihr jährliches gothisches Picknick gemacht, als jetzt dieses große Gewitter war.

– Was ham die gemacht?

– Die machen jährlich ein Picknick, wo sie sich geeignete romantische Orte für aussuchen, auf'm Friedhof oder so, und diesmal hatten sie sich die Apostelkirche ausgeguckt. Du kennst das Ding.

Mutter kannte das Ding. Ein gewaltiges Sandsteingebäude mit hohen Spitzbogenfenstern und verwitterten schwarzen Sandsteinrosetten.

– Finster, sagte er.

– Die haben nach dem Gewitter das gleiche erlebt.

– Oh, Mann, sagte Mutter. Oh, Mann, das hört ja immer noch nicht auf.

XVI

Das hätte Jim Van der Bronck sich nicht träumen lassen. Dortmund. Unglaublich. Er würde die Stadt nie vergessen. Sie war gleich zur Sache gekommen. DortMUND! Lyly am anderen Ende! Unvergleichlich. Unvergleichlich! Er hatte ihr sofort eine feste Stellung angeboten, hatte ihr vorgeschlagen, nur noch für ihn zu arbeiten. Doch sie hatte sein großzügiges Angebot lächelnd abgelehnt.

– Mademoiselle Lyly liebt die Abwechslung, hatte der verschmierte Schmollmund in schlechter Französischimitation in die Luft gehaucht.

Elfie war Dortmunderin. Irgendwie liebte sie diese Stadt.

129

Sie wollte nicht weg, sie wollte hierbleiben. Außerdem wäre sie in Manhattan nur eine unter vielen mit *class*. Hier war sie die einzige. Klar, wenn er den Flug bezahlte, würde sie glatt mal rüberjetten. Und was garantierte ihr, daß dieser emsige Earner sie nicht nach drei Monaten fallenließ wie eine heiße Kartoffel, weil es ein anderes Loch gefunden hatte. Nee, nee. Sie blieb hier. Hier hatte sie sich ihren erlesenen Klientenstamm aufgebaut. Hier war sie sicher bis an ihr Lebensende. Aber das erzählte sie dem Kunden natürlich nicht.

Von ihrem Lager, ein Seidenpfühl mit parfümierten Kissen und allen Schikanen und Skikanonen, beobachtete sie, wie er sich heiter vor dem Spiegel die Krawatte band. Teures Ding. Sie mochte die Kerle mit den ausgemergelten Hälsen nicht. Aber heiter gingen sie alle. Die Ausgemergelten und die Feisten, die Glatten und die Schrumpligen, die Müden und die schnellen Spritzer. Wenn schon, denn schon. Das war ihre Maxime. Da hielt sie sich dran. Jim war jedenfalls in allerbester Laune. Als er seine maßgeschneiderte Rüstung wieder vollständig um hatte, griff er in die Tasche, holte sein schweres silbernes Zigarettenetui hervor, nahm eine ovale Zigarette heraus und legte das Etui auf den Nachttisch.

– Denk an Jim!

Elfie taxierte das Teil. Um fünfundzwanzig Dollar ungefähr. Sie hatte sich angewöhnt, in solchen Situationen nicht mehr zu sprechen, sondern eines ihrer drei wissenden Standardlächeln aufzusetzen. Sie tat es. Mijnher Van der Bronck dachte, er habe das Mäuschen völlig aus dem Häuschen gebracht. Es könne nicht einmal mehr piep sagen. Wie es wirklich gewesen war, würde er nie erfahren. Er straffte sich und deutete eine Verbeugung an. Als besondere Gunst hatte sie ihm den Aufenthalt in ihrem Appartement gewährt. Es hatte das schwüle Ambiente wie vor einer hereinbrechenden Gewitternacht. *Gier unter Ulmen*, u. s. w. . . .

Er würde nie wissen, daß sie inzwischen siebzig Prozent ihrer Kundschaft in diese Lasterhöhle lockte, damit sie nicht mehr so viel außerhalb zu arbeiten brauchte.

Geduscht, geföhnt, in einem frischen Hemd, selbstsicher und charmant, mit den besten Manieren wie eh und je saß er einige Stunden später seiner Teilzeit-Mitarbeiterin gegenüber. Sie verzehrte gerade ein Boef bourgignon mit Morcheln und Kräuterbutter.

— Und einen kleinen frischen Salat, bitte!

Er hatte Hunger. Aber er traute sich nicht, vor ihr größere Mengen zu vertilgen. Er hatte sich zwei Pasteten bestellt. Sie war diesmal nicht als Art-Déco-Scheuche erschienen. Ihre lasziv festliche Kleidung ließ darauf schließen, daß sie den Auftrag erledigt hatte. Trotzdem empfand er es als Provokation. Oder wollte sie mit ihm ins Bett? Das fehlte gerade noch! Er liebte Shows, in den Frauen mit schweren Brüsten auftraten.

— Also, Sie haben den passenden Mitarbeiter für uns gefunden?

— Ja.

Er lächelte sein herrlich vages Lächeln, das alles bedeuten konnte und nichts bedeutete. Managing course number one für Männer der gehobenen ArtsKlasse. Erste Lektion: how to smile ohne vulgär zu sein. Und schenkte den Chablis nach.

— Und?

Sie haßte ihn. Dieses ölige Getue ging ihr auf die Nerven.

— Ein Musikstudent. Fach: Komposition.

131

– Ah, ja. Wie haben Sie das geschafft?

– Berufsgeheimnis.

Er akzeptierte das mit einem kleinen Kopfnicken.

Beim Dessert war sie reif. Das war klar. Aber sie gab sich erstmal mit Genuß ihrem Boef hin und den Teilen der Beilage. Er wunderte sich, wie diese magere Person so mit Genuß essen konnte. Er betrachtete die zweite Hälfte der zweiten Pastete und wünschte sich nach Texas, wo man ohne Aufsehen zu erregen einen Halbpfünder Steak zu sich nehmen konnte, die Beilagen waren dann sowieso extra. Aber da waren die Europäer komisch. Sogar beim Essen hielten sie auf Form.

Er goß sich noch einmal Chablis nach. Er war im kritischen Alter, das war klar. Er mußte sich fragen, ob er seinen Biß verlor.

Er merkte, daß er langsam gemütlich wurde.

Und das wurde ihm ungemütlich.

Er wartete das Dessert nicht ab.

– Erzählen Sie, sagte Mijnher Van der Bronck.

Amerikaner! Zeit ist Geld. Nicht mal in Ruhe essen ließen sie einen. Samantha Reichenbach zerkaute verärgert den Bissen, den sie im Mund hatte, putzte sich die Lippen mit der Serviette und nahm einen Schluck Wein.

– Ich habe die geistigen, psychischen und körperlichen Faktoren errechnet, die ein Individuum braucht, um die vorgegebene Aufgabe vollkommen zu lösen. Es kann mit Sicherheit davon ausgegangen werden, daß die Person, auf die ich gestoßen bin, den Erfordernissen gewachsen sein wird.

Sicherheit. Das war das Wort, das die Deutschen ständig im Mund führten. Offensichtlich hatten sie, wie ihm die Dame gerade unter der Hand zu verstehen gab, vor allen

132

anderen einen Big Brother installiert, und sie kannte das Sesam öffne dich. Er bewunderte die Zielstrebigkeit der Deutschen. Ihre Humorlosigkeit allerdings hielt er für gefährlich. Irgendwelche Körpersäfte mußten ihnen fehlen. Ein ganzes Volk mit einem biochemisch gearteten Mangel. Man müßte das analysieren und errechnen. Man könnte die fehlende Substanz durch das Leitungswasser an den Endverbraucher bringen. Schon beim Zähneputzen würden sie in Gelächter ausbrechen...

— Sie sind also sicher, die geeignete Person gefunden zu haben?

Sie schien beleidigt.

— Ich bin sicher, sagte sie spitz.

— Nun gut.

Jetzt war er an der Reihe.

Da gab es diesen zurückgezogen lebenden Banker, der eine Villa in der besseren Gegend hatte. Er kaufte seine CD-Platten ohne das Violinsolo, um zu gegebener Stunde selbst seine Stradivari zu einem krächzenden Klingen zu bringen. Ein Mann mit Kultur. Er besaß mehrere Bilder. Unter anderem die Kopie eines Ölgemäldes von einem flämischen Maler der Spätgotik.

— Wer ist es, fragte Samantha Reichenbach.

— Massys, Cornelis Massys.

Sie war im Bilde. Cornelis Massys war ein Neffe und Schüler des Malers Quentin Massys gewesen.

— Es ist natürlich nicht *Der Geldwechsler und seine Frau*, sagte Mijnher Van der Bronck lächelnd.

Samantha bemühte sich mitzulächeln.

— Ich kenne die Geschichte. *Der Geldwechsler* ist von seinem Onkel.

Van der Bronck war nicht verblüfft. Er hatte es erwartet.

133

– Also, worum handelt es sich nun, sagte sie leicht ungeduldig.

Warum machte er es so spannend? Er brauchte ihr nur zu sagen, was, wann und wo. Den abstrakten äußeren Rahmen hatte er ihr beim letzten Mal schon geschildert, sonst hätte sie den Mitarbeiter ja gar nicht auswählen können.

– Es handelt sich um das Bild *Die Rast im Obstgarten*. Das Original hängt im Prado in Madrid. Ein Schüler von Massys fertigte eine Kopie an. Diese gilt es, bereitzustellen. Man sagte, daß die Kopie noch zarter in der Farbgebung, noch feiner und weicher in der Modellierung der Konturen sei als das Original. Der alte Mann konnte es gar nicht erwarten, dieses Bild in die Hände zu bekommen. – Wie werden sie Kontakt zu dem Mitarbeiter aufnehmen?

– Über einen Mittelsmann.

– Wie lange wird es dauern?

– Nach den Berechnungen seiner psychischen Disposition wird er eine Woche brauchen, um sich zur Mitarbeit zu entschließen. Danach geht es zügig.

– Rufen Sie mich unter dieser Nummer an, und hinterlassen Sie eine Nachricht, wenn es so weit ist. Ich werde umgehend zurückrufen und Ihnen die Übergabemodalitäten mitteilen.

Sie verabschiedeten sich höflich voneinander.

Samantha Reichenbach alias Gerlinde Schwarz nahm ein Taxi. Der Taxifahrer hatte einen frischen Verband um den Kopf. Doch sie bemerkte es nicht. Ein Gedanke ließ sie nicht mehr los. Und es war nicht die Frage, welcher Schüler von Massys es gewesen war, der den Meister in der Kopie übertroffen hatte. Das würde sie auch noch herausfinden. Dann könnte sie das Bild als Original anbieten;

Meister und Schüler vor dem gleichen Sujet. Eine glaubhafte Genealogie würde den Wert erheblich steigern. Sie würde recherchieren müssen, wie das Bild in den Besitz des alten Bankiers gekommen war, damit sie seiner Wanderung, sagen wir von der Mitte des vorigen Jahrhunderts eine unverfängliche Richtung geben konnte. Sie kannte jemanden, der Herkunftsnachweise erstellte. Die vorigen Besitzer durften in keinem Fall mehr auffindbar sein. Sie mußte es so anlegen, daß Recherchen im Sande verliefen. Außerdem, die Amerikaner nahmen es mit den Zertifikaten nicht so genau, waren froh, wenn sie noch was aus Europa ergattern konnten. Es gab jedenfalls keine Aufsichtsbehörde, die auf gutes Geschäftsgebaren oder die Währung der öffentlichen Interessen achtete. Auf keinen Fall durfte sie Mijnher Van der Bronck enttäuschen.

Aber wie kam sie an das Bild?

Ob Michel es machen würde?

Eine Viertelstunde später saß sie, nachdem sie sich einen Platz von Manuskripten und Büchern freigeschaufelt hatte, auf dem Sofa im Wohnzimmer ihres Geliebten. Michel war ein arbeitsloser Wissenschaftler, der sich mit Artikeln in Fachzeitschriften über Wasser hielt. Promoviert hatte er in Physik, er selbst nannte sich Chaos-Theoretiker.

– Na, sagte er und grinste sie mit seinem schönsten Vollbartgrinsen an.

– Er ist ein Scheusal, sagte sie.

– Wie sieht er aus?

– Wie er aussieht? Wie einer, der in der Gosse groß geworden ist, sich nach oben geboxt hat und jetzt mit übermäßigen Parfümportionierungen den Gossengeruch zu übertünchen versucht.

135

– Mit anderen Worten, du konntest ihn nicht riechen.
– Exakt. Sicher, er hat sich Sachverstand angeeignet,
Manieren, er spricht ausgezeichnet deutsch. Aber er be-
trachtet die Gegenstände, mit denen er umgeht, als reine
Ware. Ich verstehe nicht, wie man so völlig ohne Kultur mit
Kultur umgehen kann.
– Ob du Kultur hast, wage ich nicht zu beurteilen, aber
Klasse hast du auf jeden Fall. Wie wär's mit einem Glas
Chablis?
– Hm. Sie versank in Gedanken.
Michel ging in die Küche und holte die angebrochene
Flasche aus dem Kühlschrank. Sonderangebot bei seinem
Lieblingsdiscounter. Die Flasche unterm Arm, mit einer
Zeitung in der Hand kam er wieder ins Wohnzimmer.
– Hier, sagte er. Das wird dich aufmuntern. Dein Horo-
skop für diese Woche. Sie stellen recht hohe Erwartungen
an sich. Alles in allem kommen Sie Schritt für Schritt
ihrem Wunschziel näher. Das Warten hat sich gelohnt. –
Na?
Er sah sie erwartungsvoll an.
– Das hat mir noch gefehlt, sagte sie. Genau das! Die
Entscheidung ist gefallen.
– Welche Entscheidung?
Und sie erzählte ihm alles. Fast.
Michel war verblüfft. Das hätte er ihr nicht zugetraut.
– So, so. Das wäre also das, sagte er und kratzte sich am
Bart.
– Was kommt dabei heraus?
– So viel, daß wir zehn Jahre gut davon leben können.
– Wir?
– Ja.
– Und du setzt es ab, obwohl das Syndikat davon weiß?

– Mit Sicherheit. Wir müssen nur schnell sein.

– Gut, sagte Michel.

Er sah sich schon völlig pleite irgendwo im Untergrund, auf der Flucht vor einem internationalen Hehlersyndikat. Aber er liebte sie.

XVII

Der Tod ist ein Spieler,
der Tod spielt mit jedem,
der Tod gewinnt immer
im Roulette des Todes!!!
WAMMwammWAmMWAMM!!!
WAMMwammWAmmWAmM!!!

Der vierzehnjährige, etwas dickliche Sänger der *Jungen Chaoten* riß jedes Mal tierisch seinen Kopf zurück, wenn er das Schlüsselwort hervorstieß. Er hatte sich die Augen schwarz geschminkt. Beim Wammwammwammwamm war er das Mikro von der einen in die andere Hand, und vor seinem Einstiegsakt röhrte er ein gewaltiges «Aahhh» in die Menge. Sie hatten das alles unheimlich gut geprobt. In der Garage hatten sie einen Sound wie die SexPistols. Aber heute haute es irgendwie nicht hin. Die Beleuchtung war ungeil, und daß sie nur als die erste Gruppe auftreten durften, war eine Schande. Außerdem hatte Regina Reggae, die Keyboarderin, ihre Tage, und dann war sie immer besonders unkonzentriert. Dann lag das Takthalten im Argen. Auch bei ihm. WAmMwAMMWamM-WAMMMMM!!! Er röhrte los. Jetzt würde er es den Scheißern aber mal zeigen.

– Gleich kommt Zelda, die wildeste Bassistin von Dortmund!

Detroy kannte sie. Sie kürzte ihm manchmal die Haare. Sie war Friseuse. Nach dem Abi hatte sie eine Lehre angefangen. Einfach so. Denn sie wußte, was sie wollte. Sie hatte keine Lust, wie die ganzen Hänger da zu enden. Warum sollte es keine humanistisch gebildeten Friseusen geben? Klar. Und die wildeste Bassistin von Dortmund. Haare schwarz, Augen schwarz, ganz in Schwarz. Noch hatte sie noch nicht genug Knete, aber irgendwann würde sie einen Salon aufmachen und nur noch eigene Kreationen ausführen. Motto: Wer zu Zelda kommt, begibt sich in ihre Hände! Für jeden individuell.

– Nee, erst kommen noch die *Puffgriesigen Hirsebeutel*.

– Ach, du Schande!

Sie saßen auf der Treppe des Pädagogischen Zentrums Hombruch. Es war der Ersatzabend für das ausgefallene *John Lurie* Konzert. Motto: Punk in Dortmund et al... Und die Halle war gut voll. Schwere Rauchschwaden hingen über den Köpfen. Überall wurde gepafft und getrunken. Man hätte zwar noch locker Sitzplätze gefunden, aber sie saßen lieber auf der Treppe.

– Weißt du eigentlich, daß mein Großvater Lappe hieß, brüllte Lampe Detroy ins Ohr.

– Nee.

– Ja. Er hieß Lappe. Als Kind haben sie ihm mal gesagt, sie wollten zu einem Verwandtenbesuch. Im Raritätenkabinett war eine Lappenfamilie angekündigt. Als sie reinkamen, hingen da zwei große und zwei kleinere Lappen auf der Leine. Das hat ihn so angeätzt, daß er gleich als er achtzehn war, seinen Namen geändert hat.

– Echt?

138

– Er hat nur einen Buchstaben ausgetauscht. Ja. Immerhin, vom *pah* zum *om*, also ich seh das symbolisch, für mich hat das 'ne symbolische Bedeutung...

Der Dichter Markus Mancini trat auf. Das heißt er kam mit großen Schritten die Treppe raufgepanthert. Seine türkische Freundin kam etwas langsamer hinterher. Die *Jungen Chaoten* waren inzwischen abgetreten, nachdem die Keyboarderin dem Schlagzeuger in den Schlußakkord ein gehässiges, welches Instrument spielst du überhaupt?!, zugeworfen hatte. Der Schlagzeuger der nächsten Gruppe *(Beinhart)* donnerte gegen den Beckenrad und schrie übers Mikro:

– Wo bleibt der Gitarrero? Reinhard, du Arsch!

– Hallo Fonz, sagte Mancini. Meister Lampe!

Er hielt den beiden die Hand hin.

– Was hast du denn gemacht?

– Ich bin vom wilden Tier angefallen worden, sagte Lampe und hielt seine vergipste Flosse hoch.

– Das sieht aber mächtig nach Bärentatze aus.

– Es war eine Amsel.

Er sitzt auf seiner Maschine und plötzlich knallt ihm ein Vogel gegen den Helm. Als er sich umdreht, um zu gucken, ob dem Tier was passiert ist, hat er sich gelegt.

– Du Ärmster, sagte Semiramis

– Ja, man kann nie so dumm denken, wie es kommen kann, sagte der AKW-Direktor unter der Gasmaske.

Ein hypernervöser Kokainist bewegte sich hektisch gelassen auf die Bühne. Dann stand Reinhard vor dem Mikrophon. Er hangte sich die Gitarre um, one, two, three, und legte ihnen erstmal ein Gitarrensolo hin, daß allen die Spucke wegblieb. Das hätte er besser nicht getan. Was er schnell merkte, denn nun hatte er sein Bestes schon gegeben, und was jetzt noch kam, war eigentlich nicht mehr so aufregend. Selbst seine David Byrne Imitation wirkte irgendwie lahm, seine Stimme kippte ab, er geriet in Trance und schlief beim Singen ein.

— Schlaf nicht ein, Mann!

— Gleich kommt Zelda, sagte Detroy.

— Denkste. Erst kommen noch die *Paffenden Griesbeutel* und dann *Going Underground*.

— Mist, sagte Detroy und schraubte den Verschluß der Weinflasche auf. Er nahm einen Schluck und reichte weiter. Lampe nahm einen kräftigen Schluck und gab Semiramis die Flasche. Semiramis fand Lampe nett. Sie hatte die Geschichte noch nicht gehört, wie Lampe auf einer Party volltrunken in die Ecke gekotzt hatte, um sich gleich danach ein Mädchen zu greifen und es abzuknutschen. Seitdem hatte Lampe Probleme mit Frauen, jedenfalls mit denen, die davon gehört hatten, und es gab nur noch wenige, die noch nicht davon gehört hatten. Auf jeden Fall wußte er jetzt, daß er mehr als vier halbe Liter Bier auf einmal nicht vertragen konnte. Wie es mit Wein war, hatte er noch nicht raus.

— Was treibst du denn so? fragte Detroy.

— Ich arbeite an einer Studie, die nachweisen wird, daß Kaffee aggressiv macht.

— Echt? Stimmt das.

— Meine Studie wird es belegen, statistisch.

— Wie kommst du denn an die Fälle ran?

— Eher zufällig. Random heißt das Verfahren. Wir arbeiten zu dritt. Wenn einer keinen kaputten Magen hat, verpassen wir ihm einen.

— Und das nehmen die euch ab?

— Klar, wenn du das Handwerk beherrscht, kannst du mit

140

Statistik alles beweisen. Was glaubt ihr, was los ist, wenn die Sache an die Öffentlichkeit kommt. Integrationsprobleme und verstärktes Aggressionspotential von Kaffeetrinkern. Eine Studie der Universität Dortmund.

– Die würde ich ja erstmal bei sämtlichen Kaffeefirmen vorbeischicken. Manchmal ist 'ne ungedruckte Studie mehr wert als eine gedruckte, sagte Detroy.

– Wieso denn Integrationsprobleme, sagte Semiramis.

– Das ist gar keine schlechte Idee, sagte Manfred. Echt, eh!

Mutter tauchte auf. Er hatte schon wieder etwas Flaum auf dem Kopf und wirkte ziemlich ausgeglichen.

– Na, ihr!

– Hallo, Jürgen.

– Mensch, was hast du denn gemacht?

– Wieso?

– Mit deinen Haaren.

– Ach, so. Er griff sich an den Kopf.

– Hör mal, sagte er zu Detroy. N.N. wartete im Klo auf dich.

N.N. war der fahnenflüchtige Bruder einer ehemaligen Geliebten Detroys. Die Sache war aber schon lange vorüber, und mit dem Bruder hatte Detroy eigentlich nie was zu tun gehabt.

– Bis denn, sagte er und ging die Treppe runter.

– Jetzt sag doch mal!

– Was?

– Wieso hast du dir denn 'ne Glatze geschnitten.

Mutter nahm einen kräftigen Schluck aus Detroys Weinflasche und fing an, zu erzählen. Als er die Geschichte erzählt hatte und sie nur noch beim Nachgeplänkel der Details waren, so in der Art, wie groß war das Schwert, welche Farbe hatte der Hund, und so weiter, kam Detroy zurück. Er wirkte ziemlich nachdenklich.

– Na, was wollte er?

– Ach, nichts weiter. Er wollte wissen, warum ich mit seiner Schwester Schluß gemacht habe. Er hätte sowas gehört und ob das stimmt.

– Was geht ihn denn das an!

– Das hab' ich ihm auch gesagt.

Der neue Kunde war zum guten Kunden geworden. Jeden Abend holte er seine vier bis sechs Flaschen Bier. Alle drei Tage ein Paket Tabak und Blättchen. Sonst nichts. Allerdings, das schloß Karin mit psychologischem Scharfsinn, trank er sein Bier nicht allein. Denn in der Hälfte der zurückgegebenen Flaschen lagen immer zermatschte Zigarettenkippen! Was sie eklig fand. Weil sie die Flaschen oben am Hals aus der Tüte nahm und oft noch Aschenreste an der Öffnung klebten. Sie glaubte aber nicht, daß er der Übeltäter war. Er sah, naja, irgendwie seriös aus, aber das fangen die Männer in dem Alter ja alle an, wenn die Muskeln nicht mehr so wollen, dann rennen sie plötzlich regelmäßig zum Friseur und drücken sich sogar die Pickel aus. Konnte aber auch was mit Sozi zu tun haben oder wie das hieß, was die eine Studentin ihr neulich erzählt hatte, daß Männer länger Schweinigel bleiben. Sie brauchen eben, um stubenrein zu werden.

Aschröter näherte sich mit klapperndem Leergut der Trinkhalle. Es war die Dunkelhaarige, die heute abend Dienst hatte, was ihn erfreute. Er mochte sie gut leiden. Außerdem quatschte sie nicht so viel.

– Hallo, sagte er.

– Einmal dasselbe? fragte sie rhetorisch und nahm die

Plastiktüte entgegen. Sie ging nach hinten durch und stellte die Flaschen in einen leeren Kasten. Dann nahm sie sechs kalte Flaschen aus dem Kühlschrank und packte sie in die Tüte. Sie hatte einen schönen runden Hintern in der Jeans.

– Und Tabak.

– Den hellen, sagte sie. Und einmal Blättchen?

Er nickte.

– Danke.

– Schönen Abend noch!

– Gleichfalls.

Aschröter hatte es immer rührend gefunden, einen schönen Abend gewünscht zu bekommen oder zu hören, wie jemand jemandem einen schönen Abend wünscht. Schönen Abend noch! Es war, als ob in dieser naiven Floskel eine Verheißung mitschwang, von deren Glanz ein bißchen in die gemeine Zeit hineinstrahlte. Wenigstens für die Dauer des Echos.

Er ging über die Straße. Kadur kam ihm entgegen. Als er den Schlüssel in der Hand hatte, stand er neben ihm. Kadur sah etwas derangiert aus.

– Nahmt, Fritz. Na, wie isses?

– Wir sind auf dem Weg zur überflüssigen Gesellschaft, sagte Fritz. Knopf an und schon geht das Leben los. Wir brauchen nur noch hinzugucken.

– Trinkst du 'ne Flasche Bier mit?

– Wir geben, was wir haben, und wir nehmen, was wir kriegen können.

Sie setzten sich zu Aschröter in die Küche. Kadur war anfangs noch etwas abwesend, grummelte was von, die ersten Buchstaben, die sie schreiben können sind Zot-de-eff und das erste und einzige als schmerzlich empfundene

143

Wort sei »Ende«, aber nachdem er die erste Flasche Bier leer hatte, kam er langsam wieder bei.

– Ich kann dir sagen, sagte er. Ich komm neulich ins Sozialamt, da sitzt einer vor mir mit einer Fahne, du, so lang hättst du die Nationalhymne gar nicht spielen können. Als er aufgerufen wird, sagt er Moment, schraubt seinen Mariacron auf und nimmt erstmal 'n Schluck. So, sagt er, jetzt können wir zur Sache kommen und geht rein. Sein Mantel, wenn man den hingestellt hätte, du, der wäre stehngeblieben. Und was is'? Er kommt wieder raus mit 'ner Baranweisung über neunhundertfuffzig Mark Kleidergeld.

Da wird man noch bestraft dafür, daß man einigermaßen auf sich hält, sagte er und guckte an sich runter.

– Neulich als die Sozialfürsorgerin vorbeikam, sagt sie, das ist ja alles so sauber bei ihnen, ich sag, meine Hose kann ich nich' essen. Naja, er kommt wieder raus. Ich sag, nu aber nix wie zu Karstadt hin, wa. Karstadt? sagt er und lacht mir ins Gesicht. Komm mit, wir brennen uns einen. Meine Klamotten krieg ich doch vom Roten Kreuz. Draußen macht er die Tür vom Zweihundertzwanziger Mercedes auf, schmeißt den Mantel rein und holt einen lammfellgefütterten Ledermantel raus . . .

– Die Geschichte hab ich schon mal irgendwo gehört.

– Na ja, is doch wahr!

Aschröter machte für jeden ein zweites Bier auf.

In Kadur arbeitete es noch.

– Oder die Frau mit der Butter, sagte er. Mit zwei vollen Taschen kam sie aus dem Pfarramt raus, dabei weiß ich genau, ihr Mann hat Arbeit, und sie geht noch als Putze, zwei schwere Taschen schleppt sie raus, und was krieg ich, ein halbes Pfund. Ein halbes Pfund Butter. Er schlug sich vor den Kopf.

144

– Und jetzt will meine Freundin unbedingt mit mir verreisen. Sie will alles bezahlen. Ich hab abgelehnt. Keine Mark in der Tasche und dann den Tanzmeister machen, nee, nee...

XVIII

Ruhig lag die Straße in der Glut des Augustnachmittags. Noch ruhiger als sonst, denn niemand hatte Lust, sich in einem heißen Blechkasten durch die Gegend zu bewegen. Die vier Ulmen an der Ecke warfen ein Schattenmuster auf das Pflaster und den Bürgersteig, und die Kampftrinker von der Scharnhorststraße hatten sich in diese Oase geflüchtet. Schwitzend saßen sie auf der kleinen Mauer des Vorgartens.
– Drei Bullen, rief der Sachse. Drei Bullen! Bring drei Bullen mit!
– Drei?
– Hab ich doch gesagt.
– Wieso drei?
– Ja, willst du keine mittrinken?
– Wieso ich?
Ein Spatz landete auf der Sitzbank einer auf dem Bürgersteig abgestellten Honda, guckte sich um und flog weg. Sie hatten schon früh angefangen, die Noble vom Morgen, der Sachse und Flaumbart. Freddy, der Hund der Noblen, war natürlich auch dabei. Den ganzen Vormittag hatten sie vor der Trinkhalle rumgedröhnt, mit wechselnden Gesprächspartnern, die immer auf eine oder zwei Flaschen blieben und auch mal eine durchschoben. Kurz vor Mittag hatten

145

sie sich in die Wolle gekriegt, der Sachse und die Noble vom Morgen.

– Du bist vielleicht eine ungefähr besondere Persönlichkeit oder was!?

– Na und, hatte der Sachse zu ihr gesagt. Und sie darauf:

– Du kannst mir mal (sie zögerte einen Augenblick, um einen besonders widerwärtigen Ort in ihrer Erinnerung zu finden), du kannst mir mal in Magdeburg im Mondschein begegnen!!

– Nee, nee, ich bleib hier.

Im Abgehen riß die Noble ihren Rock hoch und zeigte den beiden ihren Hintern. Flaumbart und der Sachse trollten sich auch.

Als sie sich am Nachmittag gegen drei wieder vor der Trinkhalle trafen, war der Streit längst vergessen.

– Drei Bullen!

Sie hatten die Sonderregelung ausgehandelt, daß sie kein Pfand zu zahlen brauchten, weil sie die Flaschen gleich wieder zurückbrachten.

– Wir sitzen ja sowieso hier.

Der Vierschrötige, der seine Seemannsmütze auch jetzt nicht abgesetzt hatte, und so ein magerer Jungmann kamen um die Ecke.

– Na, ihr Säufer!

Die beiden holten sich eine Flasche und setzten sich dazu. Sie tranken und quatschten. Die Kartoffelfrau bog mit ihrem Bully um die Ecke, hielt und läutete mit der großen Handglocke aus dem Wagenfenster. Nach einer Weile öffnete sich eine Haustür und über die Straße kam ein alter Mann mit einem Eimer. Der Vierschrötige lachte sich fast kaputt, als der Frau beim Abwiegen ein paar Knollen auf das Pflaster kollerten.

– Was bin ich für ein dummes Ding, sagte die Frau mit den großen Händen, denke heute nur an zu Hause...

Dann war die Stelle, wo der Wagen gestanden hatte, wieder leer. Es kam noch ein Auto vorbei. Ein Hund bellte. Ein Neger warf einen Brief in den Briefkasten an der Reinigung. Freddi versuchte, in den Fuß der Noblen vom Morgen zu beißen, aber sie war immer noch ziemlich schnell, und er kriegte wieder und wieder ans Maul. Es passierte schon öfter mal, daß Leute vorbeikamen und der Noblen Vorhaltungen machten, weil sie ihren Hund immer trat. Das kam vor. Und wenn sie ihnen dann sagte, daß Freddi das gut fände, dann wollten sie es ihr nicht glauben. Nee, nee, Freddi fand es prima, getreten zu werden. Das hatte er inzwischen gemuckert, solange sie ihn noch trat, war alles in Butter. Nur wenn sie ihn nicht mehr trat, aus motorischen Gründen den Fuß nicht mehr hochkriegte oder ihn sonstwie vergaß, war's zappenduster. Auf jeden Fall blieben sie auf diese Weise im Training. Denn sie waren beide ziemlich schnell.

– Freddi, Freddi, hierhin, kreischte die Noble los, als ihr Köter anfing, sich für die Duftmarken in der Umgebung zu interessieren.

– Freddi, Freddi, guter Hund, sagte der Sachse.

Dann legte er an, Öffnung auf Öffnung und ließ kommen. Ein guter Schluck ist Goldes wert. Die anderen stießen ebenfalls ins Horn. Ein Gruftie mit schneeweißen Stelzen kam vorbei.

Der Vierschrötige kriegte seine Ladung in den falschen Hals und hustete wie ein Verrückter. Ein zerbeulter olivgrüner BMW, billigste Klasse fuhr in den Schatten und hielt. Eine junge Frau mit Sonnenbrille stieg aus – dieser Moment, wenn sie mit engen Röcken aus den Wagen

147

steigen! –, nahm ein Bündel Briefe und stolzierte auf Pumps an den Herrschaften vorbei. Sie hatte glatte braune Beine und einen festen Busen. Der junge Arbeitslose mit der Matte schlug mit der Faust gegen die Mauer, während er sie mit Blicken verfolgte.

– Fuitt! Fuiett!

Es klang wie ein Vogelruf.

Aschröter sah aus dem Fenster.

Woher kam es? Und wieder.

– Fuieett!

Da, schräg gegenüber, im zweiten Stock, fast verdeckt von dem letzten Ast der Ulme stand ein Mann am Fenster und machte eine Pantomime zur anderen Straßenseite hinüber. Er hielt ein Bruchband in der Hand, griff sich an den Kopf und machte die Bewegung des Geldzählens. Dann legte er das Bruchband um und grinste sarkastisch. Er führte zwei Finger an die Stirn, hob sie zackig ab und schloß das Fenster. Ein grauer Panther?!

Aschröter saß am Fenster und las: *Die WELT ist nicht dieser kleine Kotten aus Himmel und Erde. Obschon gerecht, wäre dieses Geschenk viel zu gering. Als Gott die Welt erschuf, erschuf er die Himmel und die Himmel der Himmel, die Engel und die Himmlischen Mächte. All dies gehört mit in die Welt: genauso wie all die unendlichen und ewigen Schätze, die für immer bestehen werden, nach dem Jüngsten Gericht. Diese sind weder hier noch da, sondern überall und jetzt gleich zu genießen. Die WELT ist unbekannt, bis ihre Bedeutung und ihre Herrlichkeit gesehen werden: bis die Schönheit und die Nützlichkeit ihrer Teile in Betracht gezogen sind. Wenn du dich in sie hineinbegibst, ist sie ein unbegrenztes Feld der Vielfalt und Schönheit: in dem du dich verlieren magst in der Vielzahl der*

Wunder und Entzücken. Doch ist es ein glücklicher Verlust,
sich selbst in Bewunderung der eigenen Glückseligkeit zu
verlieren...

Ein Stimmengewirr auf der Straße ließ Aschröter den Text
verlassen. Türkisch. Nicht auszumachen, worum es ging.
Drei Jungen, Orgelpfeifen, alle in Turnhosen, Turnschu-
hen und T-Shirts, streiten sich. Der älteste, etwa elf,
versucht die beiden kleineren von etwas zu überzeugen.
Die zwei jüngeren wollen nicht mitmachen. Wollen ihn
davon abbringen. Aber der Älteste läßt sich nicht abhal-
ten, geht in die Telefonzelle und schlägt mit der offenen
Hand gegen den Apparat. Hit! Er holt etwas aus dem
Rückgabefach. Schlägt noch einmal. Nichts. Noch einmal.
Nichts. Die zwei kleineren Jungen verziehen sich, ihn
beschimpfend. Er kommt aus der Zelle und hält ihnen
triumphierend ein Zehnpfennigstück auf dem offenen
Handteller hin.
– He, sagt der Sachse, viel zu spät. Was macht ihr da?
Aber die drei sind schon über alle Berge.
Freddi denkt sich sein Teil.
– Ich will Schmackos für gesundes Naschen, sagt er.
Aber keiner hört ihm zu.
Ich weiß nicht, ob du das noch kennst, sagte der Sachse,
die Tierkutschen mit der Knüppelschaltung, ja, die Tier-
kutschen ... mit der Knüppelschaltung, früher hab ich ja
immer geschaltet, aber jetzt, jetzt ist die Arbeit um. Das ist
jetzt mein Schaltknüppel hier! Er hob die Flasche.
Es war nun fast Abend, und die Noble war inzwischen von
Bier auf die kleinen Anisflaschen umgestiegen, wo sie für
einsfünfzig zwei gut wärmende Schlucke kriegte.
Der Typ mit der Matte war im Augenblick ganz woanders.
Er bewegte sich langsam im Kreis, als wenn sein linker Fuß

an den Boden genagelt wäre und er es immer noch nicht fassen könnte...

Und da kommt plötzlich ein dicker Amischlitten um die Ecke gebogen, und dieser Kerl steigt aus, offenes Hemd und Goldkettchen am Hals, drei Stück, macht die hintere Tür auf und läßt einen Boxer raus, mindestens eine Gewichtsklasse höher als Freddi. Und der Boxer rennt an die erste Ulme und pißt über Freddis Duftmarke rüber.

– Hierhin, Freddi, kreischt die Noble.

Aber Freddi ist schon vorgesprungen und steht dem Eindringling gegenüber.

– Ich mach dich fertig, sagt Freddi.

– Knurr, sagt der fremde Köter.

– Mach ihn fertig, Freddi, ruft der Sachse.

Aschröter sieht es aus dem Fenster. Der schwarze Straßenköter steht vor dem Boxer und macht nicht den Eindruck, als ob er freiwillig seinen Platz räumen würde. Inzwischen hängen sie auch in den anderen Fenstern und gucken, was auf der Straße los ist. Boxer sind Kämpfer. Und der andere Hund ist schwerer als Freddi. Der Dicke von gegenüber, der immer ein Kissen auf der Fensterbank hat und im Unterhemd im Fenster liegt, gröhlt runter:

– Ich schmeiß 'ne Runde, wenn Freddi ihn schafft!

– Ich setz fünf Mark auf Freddi, ruft der Alte, der die Pantomime mit dem Bruchband gemacht hat, aus dem Fenster.

– Ich halt mit, sagt der Hundebesitzer großkotzig. Die hast du schon verloren.

– Hier! Ich auch fünf auf Freddi.

– Fünf Mark auf Freddi!

– Ich auch!

Der Noblen, dem Sachsen und Flaumbart ist nicht ganz

150

geheuer. Die Noble hat natürlich keine Lust, sich ihren Hund kaputtmachen zu lassen. Die anderen beiden können das Rampenlicht nicht so gut haben. Aschröter beugt sich aus dem Fenster.

– Ich geh mit! Fünf Mark auf Freddi!

Die Noble guckt zu Aschröter hoch, nickt und lächelt. Die Hunde stehen sich immer noch gegenüber, als ob sie den letzten Einsatz abwarten wollten. Die Noble vom Morgen kriegt langsam verpackt, daß sie als Besitzerin ja die Hauptfigur ist. Nun steht sie da und trägt ihr Brokatkleid und schwitzt würdevoll. Klar hat sie sich alle Wetten gemerkt.

– Mutterficker! Mutterficker!, sagt Freddi zu dem Köter. Der andere sieht rot und geht, eher von Wut getrieben als von strategischer Einsicht, auf Freddi los, und zapp, steht er da, wo Freddi eben noch gestanden hat, und Freddi hängt an seinem Ohr. Freddi springt ab und stellt sich wieder in Positur.

Es ist ganz still auf der Straße. Nur ein paar Vögel mit quietschenden Scharnieren fliegen durch die Luft.

– Mach ihn fertig, Freddi!

– Ich schmeiß noch'n Fünfer rein!

– Ich auch!

– Bin dabei, sagt der Boxerbesitzer und kriegt das hämische Grinsen nicht aus der Fresse.

– Grrr, sagt Freddi.

Der andere stürzt sich wieder auf die kleine Töle. Aber die kleine Töle ist schneller, und diesmal wechseln sie nicht nur die Plätze, sondern die kleine Töle hat ihm auch noch ein Stück aus dem Ohr rausgerissen. Die Augen des Boxers sind blutunterlaufen. Er pißt aufs Pflaster. Geht zwei Schritte zurück, um Anlauf zu nehmen und hat Freddi

151

schon wieder am Hals. Der kriegt seine Zähne aber nicht rein, weil er an dem kurzen Fell und den Muskeln abrutscht.

– Knurr.

Wieder stehen sie sich gegenüber.

– Ich werde deinen Penisknochen abnagen, sagt Freddi.

Der andere hält es nicht für angeraten, seiner Meinung Ausdruck zu verleihen, daß die Spezies Hund ganz allgemein keinen Penisknochen besitzt. Nachher fällt er damit noch auf die Schnauze. Sie stehen sich immer noch gegenüber.

Der Boxer rührt sich nicht.

– Eh, dein Hund hat ja'n Block!

Der Besitzer wird blaß unter seiner Bräune.

– Faß, Satrap! Faß!

– Ah, Satrap, sagt Freddi. Angenehm, Freddi.

Diesmal hätte er beinahe Freddis Halsband erwischt.

– Ich werde dir meine Steuermarke zwischen die Zähne drücken, bevor du stirbst, knurrt Freddi.

– Machen die da Ballett oder was?

– Mein Freddi ist doch kein Killer, sagt die Noble.

Der Rassehundbesitzer sieht rot.

– Faß, Satrap! Faß!

Mit steifen Schwänzen stehen sich die Hunde gegenüber und belauern sich. Da reißt ein Geräusch den Boxer Satrap völlig aus der Bahn. Irgendwo auf einem Dach steht ein Mädchen und droht zu springen, wenn sie nicht sofort das Sprungtuch aufspannen, und die Feuerwehr ist mit Sirene unterwegs. Die Sirene macht ihn verrückt. Er kriegt Freddis Fuß zu fassen. Freddi jault auf und reißt ihm den Fuß aus dem Maul.

Nicht mal zubeißen kann er!

Freddi verbeißt sich in seinen Gesichtsfalten. Das ist zu viel. Der andere wirft sich auf den Rücken und streckt die Beine von sich. Freddi läßt ab. Das war's.

Die Menge johlt. Die Noble vom Morgen glüht vor Stolz. Der Amischlittenfahrer sammelt seinen Köter auf und will sich verpissen.

– Eh, paß auf, der will abhauen!

Er hat seinen Hund auf den Rücksitz geworfen und sitzt schon am Steuer. Da merkt er, daß überall plötzlich Leute in ihre Autos steigen.

– Du schuldest uns noch was!

Er reißt einen Schein aus seiner Brieftasche, reicht ihn der Noblen zum Fenster raus, startet und gibt Gas.

Die Noble wird mit Ovationen überhäuft.

Freddi wird gestreichelt wie noch nie.

– Der Hund muß 'ne Wurst kriegen, sagt der Sachse.

Und so geschah es. Und die anderen kriegten Bier und Schnaps reichlich. Die Noble ging rum und lieferte die Gelder ab.

Freddi immer dabei. Sogar die köstlichen Überreste eines halben Hahnes bot man ihm an, aber seine Besitzerin war dagegen.

Weil spitze Hühnerknochen gefährlich sind.

– Bei mir kriegt er nur Haut.

Überall spendierte man ihr einen Schnaps oder zwei, und als sie rum war, hatte sie runde Füße, und Freddi sah zu, daß er sie nach Hause brachte.

Jedenfalls war Freddis triumphaler Sieg der Gesprächsstoff des Abends. Aschröter hatte seinen Gewinn für die Allgemeinheit gespendet. Die anderen Gewinner erzählten sich, daß ihnen noch nie von einem Hund zu ein paar Flaschen Bier verholfen worden war.

– Freddi hätte ihm das Fell über die Ohren gezogen!
– Klar! Hast du gesehen, wie er ihn immer heiß gemacht hat.
– Was hat der auch an unserer Trinkhalle zu suchen.

XIX

Sie saßen im griechischen Zimmer. Der Wasserkessel auf der Elektroplatte in der Ecke fing an zu summen, und Detroy machte die beiden Teekannen klar. Eine zum Aufbrühen und eine zum Abgießen. Aschröter hatte seinen Radio-Recorder mitgebracht und eine Kassette mit frühen Archie Shepp Nummern eingelegt. Das Archie Shepp/Bill Dixon Quartett, eine Aufnahme von neunzehnhundertzweiundsechzig. Aschröter schätzte Shepp als ausgezeichneten Balladenspieler und wartete auf *Somewhere*. Doch Detroy blieb kalt, und Aschröter, der es spürte, hatte auf einmal auch keinen Spaß mehr an der Musik. Jetzt kam sie ihm sogar grell und aufdringlich vor. Er kannte das Phänomen. Seine Verflossene hatte nur Beatles und Melanie gehört, und immer wenn er mit einer neuen Platte angekommen war, hatte sie nur starr dagesessen, um etwas leiser gebeten und sofort, wenn die Sache vorüber war, begeistert etwas aufgelegt, das sie schon kannte.
Aschröter war weit entfernt davon, Detroy ähnliche Beweggründe zu unterstellen. Aber eins war sicher, die Rezeption veränderte sich, wenn der andere nicht mitzog.
– Keemun oder Oolong?
– Gib den, der nach Sumpf schmeckt und Taiga, nach Mückenschwärmen und fauligem Laub.

154

– Gut.

Aschröter nahm die Kassette raus.

– Naja, sagte Detroy. Das swingt mir zuviel.

– Ich kann das gut haben.

– Wie wär's mit Siouxsie?

– Oh, nee. Nich schon wieder. Das entwertet sich mir schon.

Sie landeten bei einer Kassette mit Gabrieli et alteri.

– Sehr geschmeidig, sagte Aschröter, als Detroy den Tee aufgoß.

– Das ist René Jakobs, er gilt als der Welt bester Falsettist. Zugegeben, er ist ziemlich gut. Aber Randall Wong ist besser. Und der Sänger von den Sparks hätte ihn in die Tasche gesteckt, wenn er diese Musik gesungen hätte.

Dann kam Montserrat Figueras.

Lasciare me morire...

– Wahnsinn! sagte Aschröter. Wahnsinn!

– Ja, sie singt die Verzierungen völlig ohne Schnörkel. Achte mal auf den Schlußakkord. Da klingt ihre Stimme wie eine Trompete. Sie versenkten sich in die Klangräume der Renaissancemusik.

Detroy dachte an den großen Palestrina, dessen Kompositionstechniken immer noch gelehrt wurden. Einen Rauchwarenhandel hatte er gehabt. Pelze hatte er verdealt und immer eine fette Geldkatze am Gürtel getragen. Die Normen und Spielregeln der Gesellschaft waren von ihm akzeptiert worden. Nur in seiner Musik war er frei. Da konnte ihm keiner... Oder, wie hieß er noch, Albioni. Der war Rechtsanwalt gewesen. Das war natürlich verschärft. Auch wenn er das Recht zugunsten seiner Klienten gebeugt haben sollte, hatte er es dennoch akzeptiert...

– Sag mal, würdest du ein Ding drehen?

155

– Was ist los?

Aschröter sah Detroy verdutzt an.

– Ja, ob du ein Ding drehen würdest?

– Das kommt drauf an. Jemanden umlegen, kommt für mich nicht in Frage.

– Umlegen! Quatsch! Ich meine einen sauberen Bruch.

– Gib mal 'n Bier rüber.

Damit war das Teeritual beendet. Detroy zog zwei Flaschen aus der Plastiktüte und stellte sie auf den Tisch.

– Was ist das denn für 'ne Marke?

– Felsquelle, sagte Detroy und legte die Kassette um. Das ist das billigste Bier, was du in Dortmund kriegen kannst. Kommt aus Unna. Fünfundsiebzig Pfennig der halbe Liter. Achte drauf, es schmeckt nicht schlecht.

Sie tranken.

– Also, worum geht's?

Und Detroy erzählte von dem Bild, das *Die Rast im Obstgarten* hieß, oder so ähnlich, von einem Maler namens Cornelys Massys und von einem seiner unbekannten Schüler, der besagtes Bild kopierte und es in seiner Kopie übertraf.

– *El descanso en la huerta.* Ich kenne das Bild. Ich habe es im Prado gesehen. Es hängt in dem Raum, in dem die Sachen von Bosch ausgestellt sind. Eine schmelzende Landschaft. Ich würde was drum geben, die Kopie mal zu sehen.

– Wir könnten es abziehen und auf eigene Faust verkaufen.

– Nun halt mal die Luft an! Kennst du dich auf dem Kunstmarkt aus? Nee, nee, das Ding ist zwei Nummern zu groß für uns. Der erstbeste Galerist legt uns aufs Kreuz und schickt uns 'ne Schlägertruppe auf den Hals.

156

– Echt?

– Was springt denn überhaupt ab dabei?

– Zwanzig Riesen. Wenn wir es zusammen machen, könnte ich von meinem Anteil gut zwei Jahre leben, ohne diesen Scheißzeitungsjob. Ich könnte in Ruhe komponieren.

– Moment. Ich habe nicht gesagt, daß ich mitmache. Ich meine, das Bild würde ich schon gerne mal sehen. Laß uns das doch erstmal durchspielen. Also was, wann, wie, wo?

Und Detroy erzählte von der Villa in Lücklemberg und dem alten Bankier, der sich von seinen Geschäften zurückgezogen hatte und nur noch der Kultur lebte.

– Jetzt isser vier Wochen in Teneriffa.

– Alarmanlage?

– Keine Ahnung. Möchte ich aber annehmen.

– Hm. Verstehst du was davon?

– Technisch völlig unbegabt.

– In diesem Punkte ähneln wir uns fatal. Ist da noch Bier?

– Klar. Ich hab vorgesorgt. Ich wußte, daß dies eine lange Nacht werden würde.

Er stellte zwei Flaschen auf den Tisch. Die Plastiktüte sah immer noch voll aus.

Aus dem Lautsprecher des Rekorders kamen jetzt die Stimmen der Dämonen aus Monteverdis *L'Orfeo*. Das war von ungeheurer Schwermut durchtränkt.

– Mach mal lauter.

– Und woher kommt die Information, sagte Aschröter nach einer Weile.

Es klingelte.

Detroy ging aufmachen. Kadur kam rein.

– Was hört ihr denn wieder für Musik?! Da kann ja kein Schwein bei einschlafen.

— Monteverdi, sagte Detroy.

— Das hab ich doch gestern schon gehört!

— Trinkst du ein Bier mit, fragte Aschröter.

Kadur sah an sich herunter.

— Naja, eins kann ich.

Er setzte sich aufs Sofa. Detroy und Kadur hingen in den Cocktail-Sesseln, die Detroy von Annettes Eltern abgestaubt hatte. Detroy langte in die Tüte und öffnete Kadur eine Flasche mit dem Zollstock.

— Wir baldowern gerade ein Ding aus, sagte Aschröter.

— Baldowern, sagte Kadur. Wieviel?

Er setzte die Flasche an den Hals und nahm einen kräftigen Schluck.

— Zwanzig Riesen.

Kadur fing an zu rechnen.

— Ich bin dabei, sagte er dann. Ich könnte 'ne Pistole besorgen.

— 'Ne Wumme, sagte Detroy. 'Ne Wumme pack ich nicht an!

Aschröter fing an, sich eine Zigarette zu drehen. Kadur holte sein Etui raus und bot die Selbstgestopften an. Sie rauchten.

— Mach doch mal diese Höllenmusik leiser.

— Sonst noch was, sagte Detroy. Er war ziemlich sauer.

— Verstehst du was von Alarmanlagen?

— Das war meine Spezialität beim Barras. Strippen ziehen. Ich kann dir sagen. Stoßtruppführer war ich auch. Immer wenn die Kacke am Dampfen war, hieß es, Fritz muß ran, wenn einer es schafft, dann er. Die wollten mich ja sogar nach'm Krieg wiederholen. In den fünfziger Jahren. Da krieg ich plötzlich so'n Fragebogen, was ich beim Militär gemacht hätte und so. Den Stuß fülle ich nicht aus, hab ich gesagt. Das wißt ihr doch alles. Ja, ob ich nicht Lust hätte, als Ausbilder einzusteigen. Nee, nee, hab ich gesagt, mit mir nicht mehr. Aber meine Pistole hab ich noch. Für alle Fälle!

— Die ist doch längst verrostet, Mann!

— Verrostet! Hast du 'ne Ahnung. Jede Woche wird die auseinandergenommen und geölt.

— Eine Pistole brauchen wir nicht. Wir werden auch vorsichtshalber keine mitnehmen. Alte Regel: Wenn man eine Waffe hat, benutzt man sie auch. Gut. Fritz, du könntest also die Alarmanlage knacken.

— Was ist das für ein Modell?

Aschröter sah Detroy an. Detroy zuckte mit der Schulter.

— Da muß ich mich dann mal allgemein kundig machen. Wieviel Zeit haben wir?

Kadur sah Aschröter an. Aschröter sah Detroy an.

— Ich soll mich innerhalb von drei Tagen entscheiden. Wir haben eine knappe Woche.

Warum zahlen die denn soviel Geld für einen einfachen Bruch, fragte Kadur.

— Es ist ein Kunstraub.

— Ach so.

— Also Freitag nacht?

— Gut.

— In Ordnung.

— Wir brauchen einen Wagen.

— Kein Problem, sagte Kadur.

Er hatte noch einen Kumpel bei der Autofirma sitzen, bei der er als Verkäufer gearbeitet hatte.

— Aber ich brauch Schmiergeld, sagte er.

— Das kann ich vorschießen. Wieviel?

Kadur überlegte und sagte dann das Doppelte.

159

– Hundert Mark.

Aschröter zog seine Brieftasche und reichte ihm den Schein rüber.

– Auf jeden Fall brauchen wir Handschuhe.

– Was für Handschuhe nimmt man denn am besten für sowas?

– Jedenfalls keine gefütterten Lederhandschuhe.

– In der Konkurskiste gibt's 'n Sonderangebot, 1a erstklassige Gummihandschuhe, ich hab sie in der Hand gehabt. Absolut schmiegsamer durchsichtiger Gummi, liegt an wie eine zweite Haut. Das Paket für zwei Mark fünfundneunzig.

– Halten die auch?

– Du mußt dir eben die Fingernägel schneiden.

– Das hab ich.

– In Japan, sagte Aschröter, gib doch nochmal ein Bier raus, singen sie morgens in der Eingangshalle das Firmenlied, um sich fit zu machen für den Umgang miteinander, weil sie alle an einem Strang ziehen müssen. Besorg doch mal für jeden zwei Paar.

Kadur hob die leere Hand hoch. Aschröter griff in seine Brusttasche und schob Kadur einen Zwanziger über den Tisch.

– Du kannst uns ja 'ne Firmenmusik komponieren.

– Eine Schlachtenmusik im Stile Fantinis. Bring mal 'n Wagen mit Kassettendeck.

– Ihr habt sie wohl nicht alle, sagte Kadur.

– Wie bist du überhaupt beinmäßig drauf, fragte Detroy ihn.

– Beinmäßig? Beinmäßig gut. Aber die Füße, die Füße...

– Kein Wunder bei den Eierschalen, die du dir da angetan hast.

– Eierschalen, sagte Kadur beleidigt. Das war ein Sonderangebot bei Runkel.

– Also, daß du in den Schuhen nicht laufen kannst, glaub ich dir gerne.

– Die anderen, die ich hab, sind genauso.

– Verrückt, sagte Aschröter. Daß die Männer deiner Generation immer am Schuhwerk sparen. Mein Vater war genauso. Immer 'ne halbe Nummer zu klein oder zu eng oder sonstwas. Aber 'ne Ringeltaube. 'Ne echte Ringeltaube und stolz wie Oskar, daß sie diese Folterinstrumente billiger gekriegt haben.

Aschröter nahm einen kräftigen Schluck. Kadur schwieg beleidigt.

– Mit 'nem Invaliden geh ich aber nicht los, sagte Detroy.

– Quatsch nicht. Er kriegt ein paar Turnschuhe verpaßt, und dann hat sich die Sache.

– Was ist los, sagte Kadur.

– Du kriegst morgen ein paar neue Turnschuhe. Das setzen wir auf die Spesenrechnung.

– Ich geh erst mal rüber, sagte Kadur und verzog sich mit den hundert Mark in seine Bude.

– Bis morgen.

– Bis morgen.

Als er draußen war, flippte Detroy aus

– Bist du wahnsinnig geworden! Der kackt uns doch ab dabei! Der Altbucker schafft das doch nicht mehr! Wie konntest du es ihm sagen!

– Immer langsam. Er hat etwas, was wir nicht haben. Nämlich technisches Know-how.

– Glaubst du das?

– Vor einer guten Stunde standen wir noch vor der schier unüberwindlichen Schwierigkeit Alarmanlage. Hättest du

etwa Lust gehabt, dir in drei Tagen sämtliche Typen von
Alarmanlagen reinzuziehen?
– Nee.
– Na, also.
– Glaubst du, daß er es bringt?
– Er ist ein Kniffelbruder. Und außerdem: könntest du ein
Auto mieten?
– Ich kann doch nicht fahren.
– Siehste.
– Du etwa auch nicht?
– Doch. Aber wie stellst du dir das vor. Soll ich bei Hertz
mit meinem richtigen Namen unterschreiben?

XX

Am nächsten Vormittag standen sie zu dritt im Runners
Point.
– Wir wolln unsern Oppa 'n paar Tuanschuhe kaufen,
sagte Detroy.
– Ja, sagte Aschröter, die Asics Tiger Extenders 145.
– Welche Größe hast du? fragte Detroy.
– Zweiundvierzig.
– Sofort, sagte der Verkäufer und verschwand.
– Hört mal, ist das denn wirklich nötig?
– Ja, sagten die beiden wie aus einem Mund.
Der Verkäufer kam zurück, präsentierte die Schachtel,
hob den Deckel ab wie ein Fünfsterncuisinier, der seiner
erlauchten Kundschaft ein besonders wohlgeratenes
Täubchen unter die Nase hält.
– Die Tiger Extenders, sagte er.

– Wieso blau? fragte Kadur.

– ?

– ?

– !

–Blau kann ich auf den Tod nicht ausstehen. Gibt's die nicht noch in 'ner anderen Farbe, grau oder sand oder sowas?

– Leider, sagte der Verkäufer. Sie werden nur mit blauem Seitenstreifen hergestellt.

– Komm, hier, sagte Aschröter und hielt den Deckel hoch, color: Sandstone, Pewter und Patriot blue.

– Was is' Pjuter?

– Pewter, sagte Aschröter, pewter ist Zinn, also was altdeutsches, und das preußisch blau steht dir auch gut zu Gesicht, komm jetzt, zieh an!

Kadur slipte aus seinen Slippern. Er hatte sich extra frische Socken angezogen. Der Verkäufer hielt ihm den Schuh mit herausgezogener Lasche entgegen.

– Im Stehen?

– Komm Oppa, sagte Detroy und führte Kadur zu den Probierstühlen.

Kadur zog an und trat einmal auf.

– Den anderen, sagte er.

Das machen wir aber nicht gerne, sagte der Verkäufer. Sie müssen doch merken, ob er paßt oder nicht. Nachher sitz ich da und muß die ganzen Schuhbänder wieder einfädeln.

– Den andern, sagte Kadur. Ich kauf doch kein Auto und probier nur aus, ob der Zigarettenanzünder geht.

– Wo ham sie denn ihren Zigarettenanzünder sitzen?

– Nu halten sie mal die Luft an, sagte Aschröter, nahm dem Verkäufer den Schuh aus der Hand, zog die Lasche heraus und reichte ihn an Kadur weiter.

– Ich kauf doch kein Gespann und probier nur ein Pferd aus, murmelte derselbe. Er zog den linken an, trat auf und machte ein paar Schritte.

– Hm. Ja.

Er konnte das Leuchten, das über seine Züge ging, schlecht verbergen.

– Die können wir gleich anlassen, sagte er.

– Wenn sie dann bitte mit . . ., sagte der Verkäufer.

– Laß man, ich mach schon.

Aschröter ging hinter dem Verkäufer her.

– Hast du das gesehen, sagte die Verkäuferin zu ihrem Kollegen, der Kadurs Eierschalen vor sich hertragend an der Kasse auftauchte.

– Das war schon der dritte, der mit einer Pelerine abgeht heute.

– Muß wohl irgendwo wieder 'n Großauftrag laufen.

– Ein Großauftrag, fragte Aschröter. Bei Ladendiebstahl?

– Ja, wußten sie das nicht. Es gibt Hehlerringe, die dreizehn- bis vierzehnjährige Jungs dazu anstiften, Sachen zu klauen. Das ist billig. Und was mit den Kindern wird, ist denen egal. Nach der Jugendstrafe geht es meistens sowieso bloß noch dahin zurück.

– Um aufzusteigen zu übleren Arbeiten.

Sie nickte. Der Verkäufer hatte inzwischen Kadurs Schuhe eingepackt.

– Bitte, die Herren!

Jetzt wußte er nicht, wem er das Packet geben sollte, denn Kadur und Detroy hatten sich hinter Aschröter aufgebaut.

– Deine Schuhe, sagte Aschröter.

Sie verließen das Geschäft.

– Was mußt du denn noch so lange quatschen, sagte Kadur.

164

– Na, wie isses? fragte Detroy.

Kadur guckte an sich runter. Er konnte den Anflug eines Grinsens nicht unterdrücken.

– Keine Schmerzen mehr, sagte er. Gut.

– Halleluja. Halleluja.

Lanzelot, der Prediger vom Westenhellweg kam ihnen entgegen.

– Halleluja!

– Oh, Mann, sagte Detroy. Seine Verzierungstechnik ist lang geil!

Kadur achtete mehr auf das Äußere des Propheten, der längst mit den weltlichen Dingen abgeschlossen hatte. Seine Fingernägel waren zentimeterlange Krallen, wirr hing ihm das schüttere Haar um den dürren Hals, und seine Kleidung ließ darauf schließen, daß er schon lange davon abgekommen war, einen Unterschied zwischen Tag- und Nachtgewändern zu machen. Halleluja! Halleluja!

– Wir sind, sagte Lanzelot und erhob seine mächtige Stimme, eine gläubige Gesellschaft. Wir haben den Altar im Wohnzimmer aufgebaut. Halleluja! Wir glauben an die heilige Television. Halleluja! Halleluja! Einhundert Zungenschläge in der Minute. Halleluja! Möge das Licht des heiligen Geistes jeden Abend über uns kommen und uns bekräftigen in unseren Vorstellungen und Meinungen ...

– Was er sagt, ist gar nicht so uneben. Aber wie man so rumlaufen kann ...

Kadur schüttelte den Kopf

– ... und uns Kraft geben für unser Gebet, daß da lautet, ich danke dir, oh Herr, daß ich nicht so bin wie jene. Halleluja! Halleluja!

Die brüchige Stimme entfernte sich, verlor sich in den Geräuschen der Innenstadt.

– Ich muß jetzt los, sagte Detroy. Ich hab noch was vor. Tuan, sagte er und deutete eine Verbeugung vor Kadur an, nickte zu Aschröter, bis denn, und seilte sich ab.
– Was is denn mit IHM los?
– *Tuan* ist javanisch, wenn ich nicht irre, und heißt soviel wie *Herr*.
– Ach so. Hat er 'ne Freundin?
– Mehrere.
– Na, hoffentlich verplappert er sich nicht.

Der Geruch von kalter Currywurst und Pommes hing in der Telefonzelle. Eine ekelhafte Angewohnheit, sich beim Telefonieren in der Zelle Pommes mit Currywurst reinzuziehen! Der Pappteller mit der Currybrühe stand noch auf dem aufgeschlagenen Telefonbuch. Drei vertrocknete Kartoffelstäbchen lagen in einem Fetthof auf der Seite. Detroy fand den Zettel in der Brusttasche seine Jeansjacke und wühlte in seinen Hosentaschen. Endlich. Die zwei Groschen. Er nahm den Hörer ab, schob das Geld in den Schlitz, d. h. wollte das Geld in den Schlitz schieben, der erste Groschen verschwand auch, der zweite rutschte ihm aus der Hand und – flitsch – versank er in der Currybrühe. Detroy sah auf die Brühe, guckte auf den Hörer in seiner Hand und griff fluchend in die Hosentasche. Links nichts. Rechts nicht. Mist! Er fischte den Groschen aus dem Schlamm, klopfte ihn auf dem Telefonbuch ab und trocknete ihn mit den gelben Seiten.
Endlich hatte er die Verbindung zustande gebracht.
– Hallo.
Die Frauenstimme am anderen Ende blieb anonym.
– Ich nehme den Arbeitsauftrag an.
– Gut. Wann liefern Sie?

– Die Beschaffung erfolgt morgen abend. Wo findet die Übergabe statt?

– Rufen Sie diese Nummer an, wenn Sie die Ware haben.

– Die Summe, die mein Informant genannt hat, beträgt zwanzigtausend DeMark. Ist das korrekt?

– Korrekt. Fällig bei Übergabe.

– Ich werde mich melden.

Aschröter saß am Küchentisch. Seine Augen glitten langsam über die Zeilen eines englischen Textes, Wort für Wort, Satz für Satz versuchte er zu verstehen, worum es ging. In dem Raum zwischen den materiellen Zeichen auf dem Papier und der black box, die sein Gehirn war, fand eine merkwürdige Transformation statt, eine Bewegung, die durch seine Hinwendung zum Text aus dem Text kam und in einer sehr hinfälligen und ungenauen Übersetzung sich in seinem deutschsprachigen Bewußtsein manifestierte. Die Schlüsselworte des Textes hatten verschiedene Bedeutungen, jedes einzelne hatte Nuancen und Varianten, ein falscher Zungenschlag und er hatte den Text/Sinn verfehlt. Er las. *Stellt Euch eine geheimnisvolle und schöne Frau vor. Manche haben die Schönheiten des Himmels in einer solchen Person gesehen. Es ist eitel, zu sagen, sie hätten zuviel geliebt. Ich behaupte, es sind zehntausende von Schönheiten in diesem Geschöpf, welche sie nicht gesehen haben. Sie liebten nicht zuviel, doch aus den falschen Gründen. Nicht zu sehr aus falschen Gründen als vielmehr aus zu geringfügigen. Sie lieben ein Geschöpf wegen seiner glänzenden Augen und dem lockigen Haar, wegen der lilienweißen Brüste und der rosigen Wangen: das sie doch vor allem als Ebenbild Gottes lieben sollten, als Königin des Universums, innig geliebt von den Engeln,*

167

erlöst von Jesus Christus, eine Erbin des Himmels und ein
Tempel des heiligen Geistes: eine Mine und Quelle aller
Tugenden, ein Schatz voller Gnaden und ein Kind Gottes.
Doch diese Vortrefflichkeiten sind unbekannt. Sie lieben sie
vielleicht, doch lieben sie Gott nicht mehr: noch die
Menschen gleichermaßen: noch Himmel und Erde im
mindesten. Und während sie so die anderen Dinge ver-
nachlässigen, scheitern sie in einem scheinbaren Exzeß an
diesem. Wir sollten alles Leben, aller Geist, alle Kraft und
alle Liebe für alles sein; dies gibt uns Ausgeglichenheit und
macht uns gelassen. Und ich behaupte mit aller Zuver-
sicht, daß jeder in der ganzen Welt auf diese Weise und so
viel geliebt werden sollte...

Das rosarote Yogurette-Angebot: Das originelle Sonder-
modell: Sonnenschirm-Bar zum rosaroten Preis von nur
49,90 DM inkl. Mwst. Frei Haus. Solange der Vorrat
reicht.
Kein Bargeld oder Briefmarken.
Dieser schicke Party-Schirm im rosaroten Wolken-Design
ist beides: Sonnenschirm und Bar. Mit dem praktischen,
verstellbaren Bar-Bord. Eine originelle Attraktion für ihre
nächste Party. Exklusiv von Yogurette.
— Na, Trude, sagte Kadur voller Stolz und zeigte auf die
Yogurette-Sonnenschirm-Bar, die er in seinem Wohnzim-
mer aufgebaut hatte.
— Mensch, Fritz! Ehrlich!
Trude war von den Klötzern.
— Dies rosarote Wolken-Design . . . uff!
Aus dem nichts zauberte Fritz eine Flasche Fernet-Branca
und zwei Gläser auf die Platte.
Trude war gerührt. Extra für sie!

Dieser Fritz hatte was.

Und jetzt nimmt er ihr beim Knobeln auch noch alle Kleidungsstücke ab. Sie stand nur noch im BH da. Aber er hatte auch nur noch die Unterhose und eine Socke an. Fritz schenkte noch einen Fernet nach.

— Na, Trude, sagte er.

— Auf dem Teppich? fragte Trude lachend.

— Ich kann ihn ja zusammenklappen.

Er klappte ihn zusammen.

Aber schmecken taten die Dinger scheiße. Da war nichts dran zu rütteln. Die Schachtel war ein Präsent, weil er sich eine halbe Stunde für eine Publikumsbefragung zur Verfügung gestellt hatte. Wenn Sie ein Waschmittel kaufen wollen, zu welcher Verpackung würden Sie greifen: blau oder rot? Und er ihr gleich seine Farbtheorie auseinandergesetzt hatte, was er vom Autohandel wußte, die kleinen roten Sportwagen und so. Er hätte sie beinahe zu einer Spritztour überredet. Naja. Und dann hatte sie ihm die Schachtel Yogurette gegeben...

XXI

Kadur ging die Münsterstraße runter. Wo er hinguckte, Autohändler. Gebrauchtwagen. Günstige Zahlungsbedingungen. Bis zu dreiunddreißig Monatsraten. Wenn sie die letzte Rate bezahlten, war ihnen die Karre längst unter dem Arsch zusammengebrochen. Egal. Ohne Auto bist du nichts. Stimmte ja auch. Zweihundertfünfzigtausend Kraftfahrzeugzulassungen in diesem Monat. Diese Wagen mußten doch irgendwie verkauft werden. Und er? Nichts.

169

Seit sechs Jahren arbeitslos. Wie man sich bettet, so liegt man. Er hatte sich aber nicht gebettet. Sie hatten ihn gestoßen, die Misthunde. Und er war nicht wieder auf die Füße gekommen. Und noch mal was Neues anfangen, dazu war es zu spät. Aber wenigstens diese kleine Sache wollte er noch mitmachen. Ein paar tausend Mark. Er könnte mit Trude in Urlaub fahren, ohne von ihr abhängig zu sein ...

Hans hatte er jedenfalls erzählt, daß er den Wagen für 'ne kleine Wochenendtour brauchte. Von einer Freundin hatte er natürlich erstmal nichts gesagt, damit Hans von selber drauf kommen konnte.

Kadur bog vom Bürgersteig auf den schotterbestreuten Platz, ging zwischen den Wagen durch, ein Haufen Modelle, die er schon gar nicht mehr kannte, auf das Verkaufsgebäude zu.

Hans wartete schon auf ihn.

– Kerl, wat machst du denn so lange. Ich denk, du wolltst um fünf hier sein!

– Ohne Auto, sagte Kadur.

Es war fünf nach fünf.

– Wo steht der Wagen?

– Der rote da drüben.

– !

Es war ein Ford Granada. Rostschleuder, ziemlich alt. Naja, Hauptsache, sie fuhr. Kadur schob den Fünfzigmarkschein über den Tisch. Wortlos steckte Hans das Geld ein.

Er grinste maliziös.

– Wie alt issie denn?

– Nicht mehr neu, aber noch ziemlich gut erhalten.

– Daß mir keine Klagen kommen.

170

– Soll ich auf den alten Kilometerstand zurückkurbeln?
– Nicht nötig. Sieh zu, daß der Wagen Sonntagabend wieder sauber auf'm Platz steht, woll.

Sein *woll* klang wie das Knurren eines gereizten Hundes. Er reichte Kadur den Schlüssel und die Wagenpapiere. Kadur schob ab, ehe er es sich anders überlegen konnte, setzte sich in die Mühle und fuhr los. Er war im Moment etwas unsicher, was das Schalten betraf. Aber das würde sich schon geben.

Er fuhr die Münsterstraße stadteinwärts, bog in die Mallinckrodt ein, mied aber Schützen- und Feldherrenstraße, denn für sein Heimatrevier fühlte er sich noch nicht sicher genug. Die ungewohnte Verkehrsdichte machte ihm etwas zu schaffen. Er hätte nicht gedacht, daß sich in sechs Jahren so viel verändern konnte. Die fuhren alle wie die Wahnsinnigen. Etwas langsam, aber zielstrebig steuerte er den Wagen ins Hafengebiet. Er wollte erstmal ausprobieren, was die Karre überhaupt unter der Haube hatte. Er zog den Wagen auf die freie Fläche, auf der vereinzelte haushohe Schrotthaufen verloren in der Gegend herumlagen. Zwischen dem Unkraut Sandpiste. Kadur trat durch. Es dauerte ein wenig, bis die Karre auf Touren kam, aber dann ging sie ab. Er umrundete einen riesigen Schrottberg. Seine Kurventechnik konnte sich immer noch sehen lassen, der Schrotthaufen wurde im Rückspiegel kleiner.

Sihal und Achmed spielten Mikado auf dem Schrottberg. Die Mikadostäbchen waren die großen Schrotteile, und sie waren die Finger. Es war eine Mutprobe. Denn wenn ein Eisenteil sich löste und der Haufen ins Rutschen kam, waren sie hin. Sie mußten ganz vorsichtig sein. Genau

171

gucken. Die lockeren Teile erkennen. Genau gucken, vorsichtig sein und schnell. Das war der Kick.

– Guck mal, der da!

Sihal zeigte auf die Fläche, auf der ein rotes Auto eine Staubfahne hinter sich herzog. Verblüfft verfolgten sie die wahnwitzigen Slaloms und Zickzacktouren des Wagens. Achmed tippte sich mit dem Zeigefinger an die Stirn.

– Oder Stantmän, sagte Sihal.

Schotter und Sand spritzten zur Seite, als der Wagen in die Kurve ging. Dann raste er mit Affenzahn auf einen Schrottberg zu, bremste scharf, haute den Rückwärtsgang rein und setzte volles Rohr zurück, direkt auf das Autowrack zu, das da in der Gegend herumlag. Jetzt mußte er bremsen! Nein, er bremste nicht. Es krachte. Voll reingedonnert! Die beiden Jungen rannten rüber. Der Motor lief noch. Der Mann hing in sich zusammengesunken über dem Steuerrad. Achmed klopfte gegen die Scheibe.

Das bleiche Gesicht eines alten Kerls kam hoch.

– Du nix Blut?

Der Kerl schüttelte den Kopf.

Sie hauten ab.

– Was ist denn mit dir los?

Kadur kam die Treppe herauf. Er sah ziemlich mitgenommen aus.

– Ich hab die Karre ausprobiert, griente er.

Aschröter machte seine Klotür zu. Sie gingen zusammen hoch.

– Ja, und?

– Meine Reaktion ist eins a, nur gesehen hab ich ihn nicht.

– Was?!

– Hinter mir, als ich den Rückwärtsgang ausprobiert habe.

172

– Und der Wagen?

– Keine Delle in der Stoßstange. Das krieg ich mit 'nem Hammer wieder raus.

Detroy kam aus der Wohnung.

– Alles klar? Hast du das Auto? Mann, wie siehst du denn aus?

– Er hat einen angefahren, sagte Aschröter.

– Unsinn, sagte Kadur. Es war ein Wrack. Ohne Fahrer.

– ?!

– !?

Kadur erzählte kurz.

– Mit 'nem Hammer also. Und wie isses mit der Alarmanlage?

– Kein Problem. Habt ihr das damals mitgekriegt, dieser Fernsehkoch, na, wie hieß er noch, Clemens Wilmenrodt, der hat fünfzigtausend Mark gekriegt, als er sich bei der Arbeit zwei Finger abgeschnitten hat.

– Ham sie das übertragen?

– Jetzt ratet mal, was der amerikanische Fernsehkoch für seinen Daumen gekriegt hat? Na?

Er machte ein listiges Gesicht.

– Zehn Millionen, eh! Stell dir das mal vor. Zehn Millionen, Dollar, wohlgemerkt. Für einen Daumen! Sofort! Da würd ich sofort . . .

Detroy deutete einen Blick zum Himmel an.

– Mach halblang, sagte Aschröter.

– Wann treffen wir uns?

– Um dreiundzwanzig Uhr.

– Und laß die Wumme zu Hause.

Sie verschwanden, ein jeder in seiner Bude.

Der Wagen stand um die Ecke in der Scharnhorststraße. Aschröter und Detroy gingen einmal rum, um sich die Delle anzusehen. Konnte man mit 'nem Hammer machen.

— Wißt ihr, was die Steigerung von Mist ist?

Er wartete nicht ab und sagte es selbst.

— Mister!

— Booh, sagte Detroy und schlug sich mit der flachen Hand vor die Stirn.

— Tatsächlich, sagte Aschröter. Steigt ein. Ich fahre.

— Wieso? fragte Kadur.

— Du fährst zurück.

Es war ihm nicht unangenehm. Er gab Aschröter die Schlüssel.

— Was hast du denn da in der Aktentasche drin, dein Frühstück?

— Das Werkzeug, du Schnarchhahn.

Sie stiegen ein. Kadur ging nach hinten.

— Mann, der hat ja sogar Kassettendeck!

— Was, sagte Kadur.

Aschröter fuhr los.

Detroy zog eine Kassette aus der Brusttasche seiner Jeansjacke und schob sie ein. Ein klarer, strahlender Bläsersatz, ziemlich aufpeitschend. Sie fuhren unter den Eisenbahnbrücken durch, an der Unionbrauerei vorbei, Aschröter bog in den Ring ein.

— Das gibt's doch nicht! Das gibt es doch NICHT!!

— Was issn los?

— Das ist unmöglich. Das ist ja absolut kunstlos. Absolut kunstlos, sagte Detroy erregt.

— Was zum Teufel?!

— Der Cornettist! Das gibt es doch nicht! Der spielt diese erhabene, pathetische Musik swingend! SWIN-GEND!!!

Detroy kriegte es total nicht verpackt.

– Halt an, sagte Kadur. Laß mich raus! Laß mich sofort raus!

Aschröter drückte die Kassette raus.

– Es reicht, sagte er. Jetzt reißt euch mal am Riemen, ihr Westentaschengangster! In zehn Minuten sind wir da. Wenn ihr so weitermacht, werdet ihr noch vom Mann von der Wach- und Schließgesellschaft verhaftet!

XXII

Es war die Nacht des Hundes. Es gab andere Nächte; die Nacht der Hähne, die Nacht der Ratte, die Nacht der Fledermaus. Dies war die Nacht des Hundes. Es war Vollmond und Freitag, der vierzehnte.

Das Gewölbe, welches einem klösterlichen Weinkeller nachgebildet war, wurde von siebenundsiebzig Kerzen erhellt. Das Schmiedewerk der Kerzenleuchter, die an den Wänden angebracht waren, stellte verschiedene Bocksköpfe dar, die auf den konkaven Wänden lange Schatten warfen.

Zwölf Männer saßen schweigend um einen ovalen Tisch. Alle in schwarzen Kutten mit Kapuzen. Der dreizehnte stand. Vor ihm ausgebreitet: das Pergament mit den vier Höllensignaturen; das Kreuz mit den Gabelungen und den zwei Punkten; ein schwarzer Triangel mit den zwei Baphomet-Hörnern; ein gestürztes Shin; eine ausgestreckte Hand mit den gespreizten fünf Fingern, die eine abgewandelte Pentagramm-Form darstellte. Alle diese Zeichen waren mit dem Blut eines vor Sonnenaufgang geschlachteten Hahnes geschrieben.

Bruder Gregorius I zog die erste Feder des linken Flügels des Hahnes aus seinem Ärmel, machte einen raschen Schnitt in die Kuppe seines kleinen Fingers und unterschrieb das Dokument der heutigen Zusammenkunft.

– Men Gog com!

Schweigend befolgten die anderen, Zug um Zug, das Ritual; hieben sich das Federmesser in den kleinen Finger, nahmen das Blut mit der Feder auf und schrieben ihre Bruderschaft auf das Pergament. Als das Dokument, von dreizehn Blutschriften bedeckt, wieder an seinem Platz lag, begann Bruder Gregorius I mit der Beschwörung. Er streckte die Arme nach oben, kreuzte sie, wobei er jeweils drei Finger, und zwar Daumen, Zeigefinger und Mittelfinger, gespreizt in verschiedene Richtungen ausstreckte, so daß – im Ganzen gesehen – ein Chi oder, wenn man so wollte, ein Aleph-Zeichen entstand. Er begann zu intonieren:

– Trulu krash kim nikoé . . .

Sie murmelten alle.

– Veryamathoben-mulu-istar-néphris . . .

– Parakomulu-igazzushu-ekimmugallu-zikika-dingir . . .

Dies war die Loge der Bruderschaft von der goldenen Siebenundsiebzig. Bei ihrem monatlichen Ritual der Beschwörung der Kräfte des Bösen. Dreizehn ihrer Mitglieder waren hier in Dortmund ansässig. Geschäftsleute und Handwerksmeister, die sich von dem experimental-magischen Aspekt schwarzer Messen einen kleinen Aufschwung ihrer Geschäfte erhofften. Bruder Gregorius I, der Priester des Westens, hatte inzwischen allerdings eher ein ideelles Interesse. Er erhoffte sich eine Stärkung seiner Lendenkraft. Von Flensburg bis Rosenheim kannten die Logenbrüder seine Eigenart, zu jeder Beschwörung einen Fünf-

176

undvierziger Colt mitzubringen und diesen in den Akt der Weihe mit einzubeziehen. Matt glänzend lag die Waffe neben dem Pergament auf dem Tisch.

— Luluvikos garbenium-lotiphrem-manasko-ix-pax-gremfik...

Es war eine helle, sternenklare Nacht. Der Vollmond warf sein geborgtes Licht über die Dächer, Gebüsche und Trockenmauern des Villenviertels. Aschröter parkte den Wagen im Schatten einer hohen Hecke. Sie stiegen aus.
— Haltet euch bedeckt!
Langsam und zielstrebig arbeiteten sie sich an das Haus heran. Schatten, die aus Schatten hervorgingen und in Schatten verschwanden. Bis sie dran waren an der großen Wohnzimmerscheibe mit der Terrassentür. Kadur öffnete seine Tasche und nahm ein Meßgerät heraus. Langsam ging er damit über die Türfüllung und die Scheibenrahmen. Hit!
— Hier läuft es, sagte er.
Wie war es mit dem Haupteingang verbunden?
— Bleibt hier!
Er ging mit dem Ding ums Haus. Hier hatte er Kontakt, da nicht mehr, hier wieder. So lernte er die Geheimnisse des Gemäuers kennen. Vorsichtig und aufmerksam umrundete er das Haus. Natürlich. Über die Haustür hatten sie die Sirene gesetzt. Lächerlich. Eine kleine Unterbrechung und das Ding war außer Gefecht. Die Dierdeckel, den er mitgebracht hatte, war zu dick. Er fummelte mit einem Stück Pergamentpapier.
Fritz, hatte es immer geheißen. Wenn es seiner schafft, dann Fritz! Jetzt war er in seinem Element.
Das Pergamentpapier schlüpfte zwischen die Kontakte.

177

– Und nu?

Nischt mehr. Er hatte seine Arbeit erfolgreich beendet. Langsam schob er sich im Schatten der Hauswand zurück.

– Und?

– Alles klar.

Aschröter, mit haftelastischen Gummihandschuhen ausgerüstet, klebte den Gummisauger oberhalb der Klinke an die Glastür und fing an, mit dem Glasschneider zu arbeiten. Ssssst. Das runde Glas blieb an dem Gummi kleben und gab ein Loch frei.

Eine ziemlich profihafte Vorstellung.

Kadur und Detroy waren überrascht.

Aschröter griff durch und löste die Sperre. Sie waren drin.

– Das ist also hier das Wohnzimmer, sagte Detroy und sah auf seinen Plan.

– Mensch, leise!

– Wieso, sagte Detroy. Ist doch keiner da. Jetzt macht es nicht spannender als es ist. Wir können normal reden.

– Vorsicht ist die Mutter der Porzellankiste, sagte Kadur.

– Das Bild hängt in seinem Arbeitszimmer.

Aschröter blendete die Taschenlampe ab. Sie gingen durch das Haus. Hinter der Tür links vor dem Badezimmer befand sich das Arbeitszimmer des alten Bankiers. Sie stießen die angelehnte Tür auf und traten ein. Die Taschenlampe ging über die Wände. Ein Mann mit dem Goldhelm, guter Druck im Rahmen, ein Vermeer, Frau am Fenster, eine Kopie in Öl. Der Schreibtisch. Dahinter ein heller Fleck an der Wand.

– Hier, sagte Detroy. Hier sollte es hängen.

Tatsächlich, dort hatte es gehangen, das Bild des Cornelys Massys Schülers. Vielleicht hatte es dort gehangen. Jetzt war nur noch ein helles Rechteck auf der Tapete zu sehen.

178

– Scheiße, sagte Detroy. Man hat uns gelinkt.

– Aber wieso?

– Das ist ja reizend, sagte Kadur. Das ist ja eine unheimlich beschissene Schweinerei! Er wurde sauer.

– Mist.

– Und jetzt?

Kadur war am Kochen.

– Ein Versicherungsbetrug auf unsere Kosten! Drecksäcke, Misthunde, Asseln, Gesox!!!

Höhnisch leuchtete ihnen das helle Rechteck von der Tapete entgegen. Es war dagewesen. Ein Bild war jedenfalls da gewesen.

– Scheiße!

Kadur sah die Marmorsäule und den Chef da oben drauf, eine Gipsbüste. Er trat mit dem Fuß dagegen. Krachend zersplitterte der Kopf des alten Bankers in tausend Stücke.

Es war die Zeit der Schlangen, die sich selbst verschlingen, die Zeit der Feuerräder, die im Drehen ihre Energie genießen. Jeder, der sieht, wie er ist, sieht sich, wie er ist, im Spiegel. Es war die Zeit der schwarzen Flamme. Es war die Zeit der großen Verherrlichung!

– Men-gog-com!

NIEMAND, der IHN nicht hätte sehen dürfen, sah IHN. Die züngelnde schwarze FLAMME auf dem ovalen Tisch. ER war der HERR der bewegenden Energie, die Kraft der Opposition, die MACHT, die das Riesenrad Karma noch einmal herumreißt . . .

– Menn Gog, onn kippour, semetior. Bar kein rath!

– El, menn Gog, alza! Cennaith, menn Gog!

Bruder Gregorius I schob die Kapuze hoch. Sein Gesicht hatte nichts Menschliches mehr. Er hob den Kelch mit dem

Hundeblut. Er leckte die Lippen, er bleckte die Zähne. Geräuschvoll schlürfte er das warme Tierblut in sich hinein. In seinen Gliedern spürte er die Kraft des jungen Hundes. Dies war eine Vollmondnacht. Er würde erwachen.

Mit einer demutvollen Verbeugung gab er den Kelch an Bruder Gregorius II weiter. Bruder Gregorius II schob seine Kapuze hoch und trank. Auch die anderen standen jetzt barhäuptig da. Der Kelch kreiste.

Ein Gepolter im Erdgeschoß ließ ihre Köpfe unter den Kapuzen verschwinden. Bruder Gregorius I riß seine Fünfundvierziger hoch.

— Da ist jemand!

— Habt ihr nichts gehört?

— Nee.

— Da war doch was!

Und dann hörten sie es alle drei.

Da kamen schnelle Schritte die Kellertreppe hoch.

— Weg, sagte Aschröter.

Sie rannten durch den Flur ins Wohnzimmer zurück. Die Kellertür wurde aufgestoßen. Detroy sah mehrere Typen in Kutten mit Kapuzen. Der erste hatte eine schwere Handfeuerwaffe in der Faust.

— Halt!

— Nicht schießen!

— Nicht schießen!

— Bitte, nicht schießen! sagte Kadur.

Der andere krümmte den Finger und zog durch.

Kadur spürte einen Schlag, der ihm die Brust auseinanderriß.

Der hatte geschossen. Die Sau hatte gescho...

180

Kadur brach zusammen.

Aschröter und Detroy waren draußen. Sie rannten über den Rasen, flankten über den Zaun. Fast gleichzeitig waren sie beim Wagen. Aschröter riß die Fahrertür auf, schwang sich rein, zündete und gab Gas. Detroy saß neben ihm. Er war weiß wie eine Wand.

Sie fuhren. Aschröter versuchte, den Tacho auf sechzig zu halten, aber es fiel ihm schwer.

Sie erreichten die Innenstadt.

— Und jetzt? sagte Detroy.

— Wir müssen die Karre loswerden.

Aschröter parkte den Wagen bei der Expreßabfertigung am Hauptbahnhof. Im Live Station lief das große Konzert von Sunny Sunshine, einer Späthippiegruppe mit einem ziemlich guten Gitarristen. Detroy hatte ihn mal gehört. Aber jetzt hatte er kein Auge dafür. Er war völlig fertig.

— Hast mal 'ne Mark für mich oder 'n paar Scherben, sagte der Keil, der an den Wagen herangekommen war, zu Aschröter.

— Ich bin sauber, ehrlich. Entschuldige meinen Aufzug, ich will nach Hamburg zurück. Bin Seemann, weißt du. Ich hab mein Schiff verpaßt...

Aschröter gab ihm, was er in der Tasche hatte.

— Oh, Mann, fünf und zwei sind sieben...

Er ließ die Münzen durch die Hände laufen.

— Mann, Mann, Mannmannmann...

Als er hochsah, waren die beiden weg.

Na, und er verpißte sich auch

Aschröter und Detroy gingen die Bahnhofsstraße runter

Detroy hielt es nicht aus. Er mußte zu Liese. Unbedingt! Er würde ihr sagen, daß er einen schweren Unfall gesehen hatte. Bei Liese konnte er weinen.

Er biß die Zähne zusammen.

– Ich hau ab, sagte er.

– Aber halt die Klappe, sagte Aschröter. Er konnte Detroy nicht ansehen, weil er merkte, daß der Wasser in den Augen hatte.

Detroy war schon losgegangen.

– He, wo treffen wir uns?

– Morgen. Zehn Uhr. Ostenfriedhof, rief Detroy über die Schulter zurück. Dann rannte er los.

XXIII

Der zweite Sonnabend im August war ein klarer Tag. Die Sonne schien, und es war schon morgens gegen zehn Uhr warm. Aschröter und Detroy gingen schweigend über den Ostenfriedhof, ohne die Spaliere der Grabmäler zu sehen, die ihren Weg säumten. Das Unwetter, das vor einigen Tagen durchgezogen war, hatte etliche Bäume rasiert, und es lag reichlich Astbruch in der Gegend herum. Doch sie hatten keinen Blick dafür.

Jeder hing seinen Gedanken nach.

Sie waren alles noch einmal durchgegangen.

Das einzige, was sich mit Bestimmtheit sagen ließ, sie waren noch einmal davongekommen. Mit schwerem Verlust allerdings. Jedenfalls hielten sie es beide für unwahrscheinlich, daß die Polizei eingeschaltet werden würde, denn die Kapuzenmänner hatten mit Sicherheit kein Interesse an Öffentlichkeit. Sie würden die Leiche verschwinden lassen. Wer weiß, in welchem Betonfundament Kadur seine letzte Ruhe fand...

Den Wagen hatte Aschröter sauber am Hauptbahnhof abgestellt. Man konnte denken, daß Kadur nun endgültig die Flucht ergriffen hatte.

– Ich kann mir nur vorstellen, daß wir die billigen Spurenleger für deren Versicherungsbetrug waren, sagte Aschröter.

Detroy nickte. Er war immer noch ziemlich fertig.

– Hör auf, dir Vorwürfe zu machen. Es war Pech. Du hättest genau so daliegen können. Oder ich.

– Diese Schweine, sagte Detroy. Ich könnte da so mit 'ner MP rein...

– Vergiß es.

Detroy schwieg wieder. Auch Aschröter sagte nichts mehr. Er betrachtete die Grabsteine am Rand des Hauptweges und ertappte sich bei der Suche nach Kadurs Namen.

– Guck mal da.

– Wo? Kurzsichtig blinzelte Detroy hinter seiner Brille. Dann sah er sie auch. Zwei ziemlich kräftige Kerle kamen ihnen entgegen. Der eine trug einen grauen Anzug, der andere war wie ein Jogger gekleidet, ein Stiernacken von mindestens 1,85.

– Ich nehm den im Anzug, sagte Aschröter.

– Geht klar.

Ohne sich etwas anmerken zu lassen, gingen sie auf den Ausgang zu. Die beiden kamen ihnen genau auf ihrer Spur entgegen. Noch fünfzehn Meter, noch zehn Meter...

– Nicht so schnell, stieß Aschröter aus dem Mundwinkel. Sie verlangsamten ihren Schritt.

Noch drei Meter, noch drei Schritte, dann mußten sie zusammenstoßen...

– Jetzt, sagte Detroy, als der im Anzug zur Begrüßung zu grinsen anfing. Aschröter schnappte den Lindenknüppel,

183

den er ins Auge gefaßt hatte, und drosch ihn dem Kerl über den Schädel. Der Jogger fing einen Handkantenschlag, der auch ein quergelegtes Brett zerbrochen hätte. Er ging zu Boden. Der im Anzug kam taumelnd wieder hoch. Aschröter trat ihn in die Eier.

Sie rannten los und kamen im Defdahl raus. Der Wagen der beiden Typen stand mit laufendem Motor auf der anderen Seite der Von-der-Golz-Straße, Ecke Kronprinzen. Es kamen Autos. Sie sprinteten rüber und sprangen in den Wagen. Aschröter gab Gas. Mit jaulenden Reifen zog er den Schlitten vom Bordstein und bretterte ab. Die zwei Figuren im Rückspiegel wurden kleiner, unter der Brücke durch, in die Kurve und außer Sicht.

— Uff, sagte Aschröter.

— Was wollten die denn von uns?

— Frag was Leichteres.

— Mir schwant sowas...

— Die wollten das Bild!

— Weil sie noch nicht wissen, daß andere vor uns da waren.

— Wahrscheinlich.

— Wenn sie uns das abkaufen...

— Die werden uns erstmal mit nassen Lappen prügeln.

— Die Misthunde! Die Karre versenken wir im Hafenbekken!

— Eh! Eh! Moment! Dies ist ein Luxusgegenstand, ein Citroen, mein Lieber! Die werden uns die Ohren abschneiden.

— Was schlägst du vor?

— Wir werden den Wagen an einer markanten Stelle gut sichtbar parken.

Sie fuhren die Voss-Kuhle hoch, bogen in den Westfalendamm und dann in die Märkische Straße. Aschröter hielt auf den Hafen zu.

– Gutes Gefühl, sagte er und schlug aufs Steuerrad. Die Karre läuft wie auf Federn.

– Wir können ja damit abhauen...

– Du hast wohl zu viele Filme gesehen. Die Bundesautobahn ist kein Pflaster für 'n Road-Movie. Das sind Gladiatorenkämpfe. Da seh ich mich nicht zu imstande.

Sie fuhren auf den großen Schrottplatz am Hafen.

– Guck dir das an!

Zwei Jungen kraxelten auf einem haushohen Schrottberg rum.

– Das ist Survival-Training. Einen Kumpel von mir hat's mal beim Spielen an Güterwagen zusammengedrückt.

Aschröter parkte den Wagen mitten auf dem Platz.

– Den Schlüssel nehm ich lieber mit. Nachher gehn die Blagen da mit dem Keiler durch, und wir kriegen Doppelrache für zwei Sachen, die wir nicht gemacht haben.

Sie gingen über den freien Platz.

– Ich muß gleich zur Probe. Posaunenchor.

– Wieso das denn? Ich denk, das ist Freitagabend. Ach so!

Er schlug sich vor den Kopf.

– Ja, ja.

– Hab's auf heute verschoben. Also bis denn!

Er trabte die Mallinckrodtstraße runter.

– Halt dich bedeckt!

Aschröter ging langsam nach Hause.

Aschröter packte gerade seine Reisetasche, als es klingelte. Er sah durch den Spion. Es war Detroy.

– Was machst du denn da?

– Guck mal raus.

Detroy ging ans Fenster und guckte raus. An der Trinkhalle stand ein Kerl und sah hoch. Er rauchte eine
Zigarette.

– Steht der schon lange?

– Seit zwei Stunden. Und er hat noch kein einziges Bier
getrunken.

– Komm mal mit, ob bei mir auch einer steht.

Sie gingen zu Detroy rüber. Auf der anderen Seite der
Feldherrenstraße stand einer vor dem Hauseingang und
rauchte eine Zigarette.

– Das sind zwei andere.

– Die haben eine ganze Armee gegen uns aufgeboten! Wir
müssen uns trennen. Am besten, du tauchst so schnell wie
möglich unter. Und zwar da, wo du bisher noch nie
gewesen bist.

– Scheiße!

– Paß auf! Im Hinterhof, hinter der Bäckerei, da wo der
Schulhof zu Ende ist, gibt es ein Loch in der Mauer. Paar
Jungs haben da neulich gespielt. Es ist groß genug.

– Und mein Rad?

– Vergiß es! Du kommst bei den kleinen Schrebergärten in
der Lessingstraße raus.

Sie gaben sich die Hand.

– Mach's gut!

– Tritt nicht auf die Beete!

Aschröter zog die Tür hinter sich zu und ging in seine
Wohnung. Der Bursche stand immer noch vor der Trinkhalle. Wahrscheinlich wollten sie sie mürbe machen. Oder
trauten sich nicht, sie in der Wohnung zu schnappen.

Er überprüfte seine Papiere. Alles da. Glücklicherweise
hatte er gerade sein Monatsgeld von der Bank geholt.
Siebenhundertundeinpaarzerquetschte. Er nahm die Rei-

186

setasche, hängte sich den Mantel über den Arm und verließ die Wohnung. Er ließ die Tür angelehnt. Als er unten ankam, machte die Kranewasser die Tür auf und streckte ihren Kopf heraus.

– Ach, Herr Aschröter, wollen Sie verreisen?

– Nur eine kurze Dienstfahrt nach München. In zwei, drei Tagen bin ich wieder zurück.

– Na, dann viel Spaß.

Sie lauerte, ob er noch was sagen würde.

Er blieb vor dem Briefkasten stehen und schloß ihn auf. Sie verzog sich. Das Flurlicht ging aus. Darauf hatte er gewartet. Leise öffnete er die Tür zum Hinterhof und trat hinaus.

Er war draußen. Dunkelheit umgab ihn.

In Finsternis wir alle sein...

Er blieb stehen, bis sich seine Augen an die Dunkelheit gewöhnt hatten und er erkennen konnte, ob ihm etwas im Wege stand. Er konnte das Loch zwar auch im Dunkeln finden, aber wer weiß, ob nicht irgendsoein Bucker da die bucketts mit Farbresten hingestellt hatte und er womöglich ein Gepolter verursachte, wenn er dagegenstieß, und sich seine gute Hose ruinierte. Das fehlte gerade noch, mit einer Markierung durch die Nachtstadt rennen...

Aber es war so, wie er erwartet hatte. Der Weg war frei. Da standen die Mülltonnen an der Wand. Ein Fahrrad mit Tasche am Gepäckträger

Die Rundschau von morgen!

Leise ging er an dem Kellereingang vorbei, in dem die Katze verschwunden war, als die Amseln sie jagten.

Aber er war nicht die Katze. Er versuchte es nur so leise zu bringen. Dann hatte er das Loch in der Mauer erreicht. Es war groß genug. Er streifte die Fenster der beiden Häuserreihen, die einen rechten Winkel bildeten. Sie waren alle leer.

Nur in einem bewegten sich zwei Silhouetten; ein Mann und eine Frau, die sich gegenseitig in die Fresse schlugen.

Er schob seine Tasche durch das Loch, dann den Mantel und zwängte sich hinterher. Er kam an der Laube raus. Über ihm wölbte sich ein sternenklarer Himmel.

Eine halbe Stunde später saß er im Nachtexpreß nach Paris.